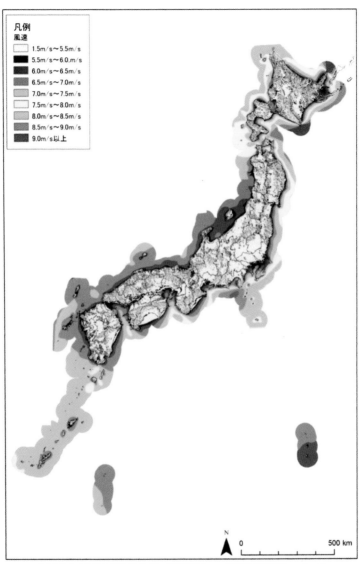

凡例
風速

- ☐ 1.5m/s～5.5m/s
- ■ 5.5m/s～6.0.m/s
- ■ 6.0m/s～6.5m/s
- ■ 6.5m/s～7.0m/s
- ☐ 7.0m/s～7.5m/s
- ☐ 7.5m/s～8.0m/s
- ☐ 8.0m/s～8.5m/s
- ☐ 8.5m/s～9.0m/s
- ■ 9.0m/s以上

N

0   500 km

全国の年平均風速の分布（高度80m、離岸距離50kmまで）

詳しくは本文P.58をご覧ください。

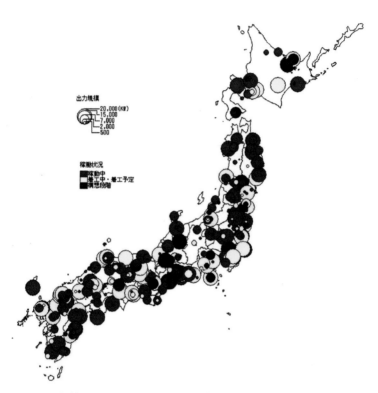

木質バイオマス発電所一覧（2019年11月末現在）

詳しくは本文P.107をご覧ください。

エンジニアの覗いた
自然エネルギー社会

葛原 正
KATSURAHARA Tadashi

文芸社

はじめに

　本書は『エンジニアの覗いた自然エネルギー社会』の下巻です。

　上巻ではエネルギー多消費社会がもたらす地球環境の変化、とりわけ地球温暖化問題、その解決策としての省エネ活動と自然エネルギーの導入に際して考慮すべき点、自然エネルギーの大量導入に伴って社会や経済システムがどのように変わってゆくかを考えました。

　下巻では上巻で検討した事項を振り返りながら、具体的な自然エネルギー活用の方法を関連する分野にも範囲を広げて、概括します。そして自然エネルギー社会を目指すためにこれから期待される新しい技術開発の事例、我が国が取り組むべき課題と対応法について筆者なりの観点で纏めます。

第３部【実践編】

VI. 自然エネルギー利用の実際

　本章では主な自然エネルギー発電について、その原理から発電等での利用のポイント、将来の発電量の見通しなどを概観します。各発電方法にはそれぞれに固有の特徴や課題があるため、与えられた資源量を頭に入れた上で、最終的にはそれらをどのように組み合わせるのが良いかを考えていくことになります。

　また、各項目においては、これからの自然エネルギーの展開を考える上で重要となる、以下のようなテーマが織り込まれていますので、合わせて確認していただければと思います。

・水力発電：自然エネルギーの本格導入に際して、電力の需給調整に果たす揚水発電などの役割について考える。

・太陽光発電：グリッドパリティに代表される自然エネルギーのコスト低下が、これからの電力取引や市場に及ぼすインパクトを予想する。

・風力発電：自然エネルギー利用を日本列島の沿岸域に広げるための課題などについて考える。また、風が生じるメカニズムを通じて地球温暖化と気候変動の関わりについて考える。

・バイオマス発電：太陽エネルギー・CO_2吸収源としてのバイオマスの役割と木材・食糧等の提供という資源循環の中で、エネルギーをできるだけ最後まで使い尽くす"静脈系"としてのバイオマス活用を考える。

1. 水力発電

【クイズ⑧】

　降雨・降雪は河川水などとなって、私たちの生活になくては
ならない自然の恵みとなっています。雨などとして陸上に降っ
た水のうちのどれくらいが川に流れ込んでいるか想像してみて
ください。次のうちで最も近いものはどれでしょうか?

　（ⅰ）2/3　（ⅱ）2/5　（ⅲ）1/5　（ⅳ）1/10

【答え】

　これは直感的に考えるしかないのですが、どの地域に住んで
いるかによって答えが変わってきます。地球全体の水循環のデー
タ[1]によると、陸地への降水量11.1万km³/年、海面に達する
河川水4.5万km³/年で、世界平均では（ⅱ）が最も近くなります。
山岳地形と河口までの距離の短い我が国の河川では、より高く
て約70%ですので、（ⅰ）が最も近くなります。我が国は豊か
な降水量によって、水資源に恵まれています。この水資源を活
用して、先人の努力により水力発電が行われてきました。

①水力エネルギーの源

　水力発電は、太陽の放射エネルギーによって温められた水蒸
気が天空から降雨・降雪となって地上にもたらされる水の位置
エネルギーが源になります。これは、図6.1-1に示すような大き
な"水循環"の一部である「表流水」となります。例えるならば、

太陽のエネルギーを駆動源とする巨大な蒸気機関です。

図6.1-1　水の大循環 [2]

　まず地球上の水がどこにどれだけあるかを調べてみます。表6.1-1がその結果ですが、ここで水力発電の主な対象となる河川水は全体の0.0001％ですから、全体からすると本当に微々たるものです。地上の淡水は全体の2.5％で、そのほとんど（99％）が南極・北極圏などの氷と地下水として貯えられています。温暖化によるこれらの氷の融解が海面上昇の主な要因となっています。

表6.1-1　地球上の水の分布 [3]

(単位：km³)

試算者	カリーニン (1968)	ネース (1969)	榧根　勇 (1973)
海水	1 370 000 000	1 350 400 000	1 349 929 000 （ 97.50）

河川水	1 200	1 700	1 200 (0.0001)
湖沼水(淡水・塩水)	750 000	230 000	219 000 (0.016)
土壌水	65 000	150 000	25 000 (0.002)
地下水	60 000 000	7 000 000	10 100 000 (0.72)
氷	29 000 000*	26 000 000*	24 230 000* (1.75)
大気中の水	14 000	13 000	12 600 (0.001)
生物中の水	—	—	1 200 (0.0001)
計	1 459 830 200	1 383 794 700	1 384 518 000 (100%)

＊：水の体積に換算した値

（　）内の数字は水の総量（100％）に対する割合

（出典　地学団体研究会編：「地球の水圏―海洋と陸水―」、p.4. 東海大
　　学出版会、1995）

　また、水力発電として活用できるのは、水循環のうちで陸上
から海洋に流れ込む表流水4.5万k㎥/年の一部分です（図6.1-2）。

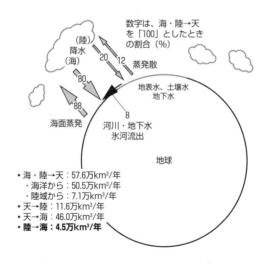

図6.1-2　地球上の水の循環[4]

太陽の放射エネルギーで高い位置に運ばれた水は位置エネルギーを獲得し、その大きさはmgh（m：水の質量、h：水の有効高さ、g：重力加速度定数）と表されます。この位置エネルギーから取り出せるパワーはmを$\Delta m/\Delta t$（単位時間当たりに水の流れる量：流量）に置き換えることによって計算されます。これを、発電機で電気に変換すると、下記の電気エネルギーを取り出すことができます。

$P=（\Delta m/\Delta t）g h \times \eta$

η：水車と発電機の効率を合わせた発電効率で70%程度

日本の国土全体を考えると、$\Delta m/\Delta t$は年間平均降水量1720ｍｍより求め、hは平均高度394m（高度損失なし）とすると、**降雨による国土の平均的なエネルギー密度はP_0＝0.2W/㎡**となります。太陽のエネルギー放射の支流であり、降雨時間が限られることから、もとの太陽放射エネルギーよりもずっと小さくなります（注1）。このP_0に国土面積と降雨降雪の河川への流出率0.7（注2）、およびηを掛けると、計算上の**年間最大発電量Wmax＝約3500億kWh**が得られます[3]。

このように、水力発電のポテンシャル量は、降雨量の他に、国土面積、地形などの地理的環境によって決まります。

（注1）P_0は太陽定数の約0.01%に相当します。上巻・表1.3-1を参照してください。

（注2）地上に降った雨雪のうち、蒸発および土壌への吸収分を除いて河川に流出する割合

　例えば、我が国有数の規模を誇る**黒部第四ダム**を例にとると、発電容量＝33.5万ｋＷ、ダム湖の満水時面積（湛水面積）＝349haとなっており、**水力エネルギー密度Pは約100W/㎡（地上での太陽放射エネルギー密度とほぼ同等）**となります。大型の水力発電所ではそれだけダム湖の面積も大きくなり、ダムの湖底に沈む村落の話を思い起こされるかもしれません。自然環境保全の問題もあり、治水や利水などの強い社会的要請がない限り、大規模な開発を伴う大型水力発電所の建設は経済的・社会的にも困難であることが予想されます。

　それでも大型の水力発電設備になると、エネルギー密度が先ほどの地上平均値P_0よりずっと大きくなります。黒部第四ダム水面と発電所との高低差ｈは600ｍ程度ですから、$\Delta m/\Delta t$（水の流量）が大きく寄与していることがわかります。狭い日本の国土ですが、**できるだけ広い範囲から水のエネルギーを集めて河川に運び込むという自然の地形が大きな役割を果たしています**。水循環における表流水に対して自然環境が作用してエネルギーを集めて、発電設備まで運んでくれるという自然の恵みによります。

②水力発電開発の歴史

　図6.1-3が我が国の水力発電開発の歩みです。１世紀余りにわたる歴史の中で、戦後～高度成長期に至る時代には基幹エネルギーとして伸張し、電力源の主役の座にありました。1960年代に大規模ダムの開発も一段落するとともに、主役の座が石炭火

力発電や原子力・天然ガス火力発電に移っていくことになります（上巻・図4.6-1参照）。その後は、**原子力発電などの運転の"柔軟性"に欠ける電源の増加とともに、変動する電力需要に対応するための調整電源として、揚水発電の増設が行われます。**図中で1970年以降の最大出力の伸びのかなりの部分は、この揚水発電の開発によるものです。

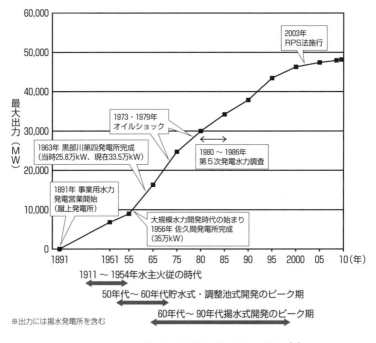

図6.1-3　水力発電の発電設備容量の推移 [5]

③水力発電の型式

水力発電は図6.1-4のように、大まかには流れ込み式、調整池・

貯水池（ダム）式、揚水式に分けられ、揚水発電以外を一般水力発電と称しています。**揚水発電は電力を消費して水を汲み上げるため、基本的には発電能力の向上への寄与はありません。**しかし、例えば夜間の電力消費の少ない時に水を汲み上げ、昼の電力消費のピーク時に発電できるために、1日の消費電力のピークを下げ、またピーク時間帯を移すという使い方ができます。これによって、火力発電などの設備投資と燃料費を抑えて、発電システム全体として効率的な運用が可能になります。

　また、流れ込み式はベースロード電源の位置付けですが、それ以外は需給調整の機能を備えたピーク電源となります（上巻・図4.2-2）。

　今この**揚水発電**が注目されているのは、むしろ**太陽光や風力といった変動する自然エネルギーに対する調整電源として活用できる**ためです（上巻・図4.2-3参照）。揚水を含めて、水力発電ではゲートやバルブの開け閉めで運転が始動・停止できるため、昼夜に限らず、1年間の季節の変動から、短い時間での電圧変動に対する調整能力までも備えています。燃料費がかからなくて、安定した運転ができる万能型の電源です。

分類方法	方式	概要	概略図
水の利用面からの分類	流れ込み式	河川を流れる水を貯めることなく，そのまま発電に使用する方式．水量変化により発電量が変動する．	
	調整池式	夜間や週末の電力消費の少ない時に池に貯水し，消費量の増加に合わせて水量を調整しながら発電する方式．	
	貯水池式	水量が豊富で，電力の消費量が比較的少ない春や秋に大きな池に貯水し，電力消費の多い夏期や冬期に使用する年間運用の発電方式．	
	揚水式	昼間のピーク時には上池に貯められた水を下池に落として発電し，下池に貯まった水を電力消費の少ない夜間に上池に汲み揚げる方式．	
	水路式	川の上流に低い堰を設けて水を取り入れ，水路により落差が得られる地点まで導水し，発電する方式．流れ込み式と組合わされることが一般的である．	

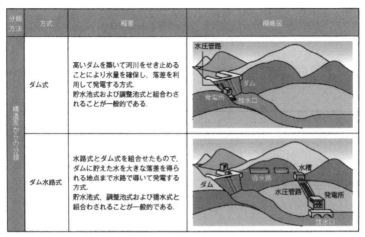

分類方法	方式	概要	概略図
構造面からの分類	ダム式	高いダムを築いて河川をせき止めることにより水量を確保し、落差を利用して発電する方式。貯水池式および調整池式と組合わされることが一般的である。	
	ダム水路式	水路式とダム式を組合せたもので，ダムに貯えた水を大きな落差を得られる地点まで水路で導いて発電する方式。貯水池式、調整池式および揚水式と組合わされることが一般的である。	

出典：「マイクロ水力発電導入ガイドブック」（2003，NEDO）より作成

図6.1-4　水力発電の分類[6]

④我が国の水力発電能力

　自然環境のほかに経済的および技術的な理由により、水力発電が利用できる場所と設備能力は限られてきます。水力発電のポテンシャルのうち、技術的・経済的に利用可能な水力エネルギーを「包蔵水力」と言います。資源エネルギー庁が個別に全国の河川などについて調査して、「包蔵水力」として公表しています。その結果を現在の水力発電量と合わせて示すと下記の表6.1-2のようになります。

表6.1-2　我が国の包蔵水力 [7]：平成31年3月31日現在

区分	地点数	最大出力 （万 kW）	年間可能発電電力量 （億 kWh）	2019 年度発電量 実績（億 kWh）
既開発	2066	2822	963（28%）	一般水力：751 揚水発電：92
工事中	35	21	10	
未開発	2695	1875	395	
計	4796	4718	1368（39%）	

（注）括弧内は想定最大発電量Wmax＝3500億kWhに対する割合

　図6.1-5に、我が国の主要河川の縦断面が諸外国の河川と比較して示されています。長さが短いことや急勾配であることが一目瞭然です。世界トップ10に入る年間降水量で狭い国土の山岳地帯から降水を急激に流出させているため、途中の損失も相対的に少なく（流出率が高く）なっています。また、河口から離れた上流部分で標高差が大きく、山岳地帯の稜線と渓谷が成す地形はダムなどの貯水設備を設けるのに適していることが想像されます。

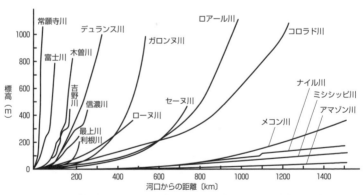

（注）大陸の河川は勾配が小さく、なめらかな曲線で描かれるが、日本の河川は急勾配で屈曲している。
（出典　阪口豊、他：「日本の川」p.220, 1995）

図6.1-5　日本と大陸の河川の縦断面曲線 [3]

　ところで、我が国では「包蔵水力」のうち、概ね2/3が開発済み（注）と言われています。水力開発率の世界的な比較では、図6.1-6のように世界のトップクラスに位置づけられています。

（注）表6.1-2によると最大出力で61％、年間可能発電電力量では70％が開発済みです。

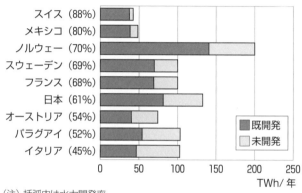

（注）括弧内は水力開発率

図6.1-6　水力開発率の高い国の水力発電量と包蔵水力量
（水力発電電力量≧30TWh/年）[8]

　さらに図6.1-7のように、３万kW以上の大規模なものは既に84％（出力ベース）が開発済みと見積もられており、今後環境面からもこのクラスの開発は難しいと予想されます。したがって、2003年に始まったRPS法（注１）では1000kW以下の発電設備を「小水力発電」と位置づけて、主な対象として開発が行われてきました。さらに、それを３万kW以下に拡大して、2012年に始まった固定価格買取制度（FIT）の中では「中小水

力」として電力買取の対象に含めています。世界的に見ても、いわゆる「再生可能エネルギー」に分類されるのは、大規模なものを除く、環境に対する負荷の少ない「小水力発電」です（注2）。

（注1）Renewable Portfolio Standard法：電気事業者に自然エネルギーから発電される電気を一定割合以上利用することを義務づけ、自然エネルギーの一層の普及を図るために2003年に施行された法律。
（注2）ヨーロッパでは1万kW未満の水力発電を「小水力発電」と定義しています。

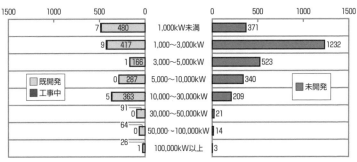

図6.1-7　水力の出力別分布・地点数（平成22年3月末時点）[9]

⑤水力発電能力の拡大について

　それでは今後どれだけ水力発電の能力増強が見込めるかについて、もう少し具体的に検討した例によって、どのような対応策が必要か、あるいは効果があるかを考えてみます。

　表6.1-3は経済産業省が「長期エネルギー需給見通し」の検討において、2030年までに新しく導入される可能性のある水力発電量を纏めたもので、想定するシナリオによってA〜Cのように幅があります。発電量を大きく伸ばすためには、中小規模の

重点的な開発と環境への配慮が必要であることが予想されます。

表6.1-3　今後の水力発電の導入見込量（2030年度）[(10)]

想定ケース	A. 進行中または経済性のある案件	B. 更に既存発電所の設備更新、未利用落差の活用拡大等	C. 更に自然公園や地元調整等の障害が解決
大規模（3万kW以上）	19万kW	64万kW	79万kW
中小規模（3万kW未満）	16万kW	65万kW	201万kW
出力増加分計（発電量増加分計）	35万kW（15億kWh）	129万kW（57億kWh）	**280万kW（137億kWh）**

　この他にもいくつかの機関が同様の調査を行っていますが、社会・経済的な成立性を検討するシナリオによって、中小水力発電の導入ポテンシャル評価には、多少の幅が見られます。

　次に、文献[(11)]によると、下記のような発電量の増強方法が考えられるとしています。なお、ダムは構造的に非常にしっかりとしていて永続的に使え、さらに多目的ダムには放流用の排出穴があり、ダム湖に流れ込む土砂によって埋まることはないし、必要に応じて土砂を取り除けば、半永久的に使用できるとのことです。

（ⅰ）多目的ダムの運用改善（ソフト的対応策）：利水と治水の運用を効率化する。

（ⅱ）既存ダムの嵩上げ（図6.1-8）：高さを10%上げるだけで、発電量が倍近くになる。しかも、新規ダムの建設よりも

総事業費は1/3以下で済む。

（ⅲ）発電に使用されていないダム等での水力発電の実施：未利用の多目的ダムの他に、砂防ダムや農業用水ダム、農業用水路などのように、発電とは別の目的で造られたダム等を活用する。

〈三高ダム嵩上げ　32m→44m〉

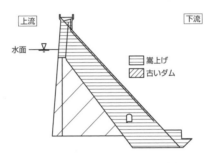

図6.1-8　ダム嵩上げの例 [11]

　日本プロジェクト産業協議会の水循環委員会の試算によると（ⅰ）、（ⅱ）による発電量の増加見込量は**343億kWh**と推定されています [11]。また、（ⅲ）による発電量の増加は資源エネルギー庁の未利用落差発電包蔵水力量の調査によると**27億kWh**と見積もられ、環境省の導入ポテンシャル調査では80～1500万kWとなっていて、さらに増やせる可能性があります（注）。

　（注）中小水力の稼働率の推定は難しいのですが、1500万kWに対する発電量を概算すると、例えば次のようになります。　1500万kW×（365×24）h×稼働率0.4×10⁻⁴≒500億kWh

　以上から、今後の水力発電能力の開発を含めた2050年の発電量を見積もると、**現状952億kWhの４割増し（発電量1300億kWhレベル）以上の能力増強の可能性がある**ことがわかります。これは年間の最大水力発電量Wmaxの37％に相当していて、いわば我が国の水力エネルギー全体の利用率を表しています。このレベルが妥当かどうか、さらに伸ばしていけるかは、自然環境との調和や地域住民の生活との関係などを含めて個別に検討が必要になります。第Ⅷ章で取り上げる各調査機関の2050年の推定でも、概ね1400億kWh前後と見積もられています。

　いずれにしても、水力エネルギーをこのレベルに近づくまで活用できるようになっている現在の状況は、水力エネルギーを効率的に集める自然の力と、戦後から高度成長期に開発に力を注いだ先人の努力の賜と言えるでしょう。

　下記はIEAの水力発電に関するレポート[8]からの引用になりますが、水力発電の能力を可能な限り高めておくことが今後の自然エネルギー普及にとって重要です。
「水力発電の貯蔵能力と（電力系統への）即応性は、電力需要の急激な変動への対応や、（原子力発電などの）柔軟性の劣る電源および変動する再生可能エネルギー源からの電力供給の調整に特に有用である」

２．太陽光発電

①太陽光発電の仕組み

・太陽電池の原理

　太陽光発電は太陽の放射エネルギーを直接、電気エネルギーに変換するものです。

　最初に、太陽光のエネルギーを電気エネルギーに変換する素子である太陽電池について簡単に説明します。

　太陽電池は大きくは、次の２つの物理現象を組み合わせて、電気エネルギーへの変換を行っています（図6.2-1）。

（１）半導体の接合による電界生成

　半導体の中でも電子の多いｎ型と電子が抜け出た穴（正孔）の多いｐ型半導体を重ねると、接合部で電子がｎ型からｐ型へと移って、ｐ型→ｎ型の方向に電子の通りやすい環境（電界）を発生します。

（２）太陽光による電子の励起（光電効果）

　このｐ‐ｎ接合半導体に太陽光のエネルギーをあてると、半導体中の電子（と正孔）が励起して叩き出されて、電界の影響でｎ型（ｐ型）に移動します。両者を外部回路でつなげば、ｐ型→ｎ型の外部電流が生じます。

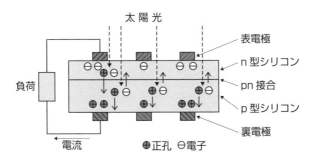

図6.2-1　太陽電池の原理（シリコン結晶系の場合）[12]

　いくつかの物質に光を当てると電気が発生すること（光起電力効果）は、19世紀前半より知られていましたが、1954年に米・ベル研究所の研究員がシリコン半導体を使って実現したのが現在の太陽電池の原形となりました。

　最初は小型でエネルギー変換効率も低くて、リモート用の通信機器などの限られた用途に使われてきました。その後の半導体技術の発展にも後押しされて、変換効率向上などの高性能化、量産技術の向上による低コスト化が進んで、私たちが目にする現在の太陽電池モジュールが出来上がっています。今では、電卓から信号機などの公共インフラまで、さまざまなところで活躍しています。新技術の発明から、絶え間ない研究開発で磨き上げられ約半世紀、私たちが身近な発電装置として使える製品が流通するようになっています。

　太陽電池の素子やそれをつないだ基本単位であるセルは起電力が小さいのですが、それをたくさん直列につなぐことによって電圧を大きくして、1枚（約1㎡）で概ね200W～400Wぐら

いの太陽電池モジュール（ソーラーパネル）として販売されています。現在量産されている太陽電池モジュールのほとんど（全世界の80％、国内の95％以上）がシリコン結晶の半導体を使っており、そのほかには化合物系半導体、有機系半導体などがあります。

・太陽電池の性能

　太陽電池の効率は、電池の表面に入射する太陽光エネルギーに対して、どれだけの電気エネルギーが取り出せるかの割合で表せます。太陽光のエネルギーは上巻・図2.1-2のように、連続した波長を持つ光の集まりで、半導体材料の種類によって吸収される光の波長・割合が決まっています。

　図6.2-2に各種の太陽電池について、これまでの効率改善の推移を示します。例えば、シリコン結晶系では太陽エネルギーの吸収効率の理論的な限界に近づきつつあるために、最近の改善量も小さくなっています。これに対して、2〜4接合半導体のように吸収する波長帯に特化した素子を重ね合わせて吸収率を上げたものでは、さらに高い効率を得ることができます。しかし、その分だけ製造工程が複雑になって、これらのモジュールではコストが割高になり、性能とのトレードオフが必要です。人工衛星などのように設置面積が限られる場合には、このようなより高い変換効率のモジュールが求められることになります。我が国の太陽光発電では、利用できる国土面積が限られるため、これからも高効率な太陽電池の技術開発の重要性は続くものと考えられます。

太陽電池の高性能化に向けての研究開発については、さらに次章で取り上げます。

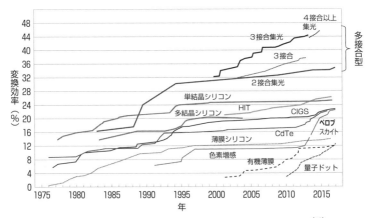

図6.2-2　研究レベルの太陽電池の変換効率の推移 [13]

・太陽光発電システム

　この太陽電池モジュールを直列にたくさんつないだものを「ストリング」と呼びますが、100V～1000Vの出力の1つのまとまった発電システムを構成します。図6.2-3に基本的なシステムの構成を示します。基幹となる装置は、太陽電池モジュールとそこから出てくる直流電流を商用の交流に変換するパワーコンディショナー（PCS）です。本図は、比較的大規模なシステム構成の例ですが、例えば住宅用のものでは、受変電設備などがより簡素化され、コンパクトになります。

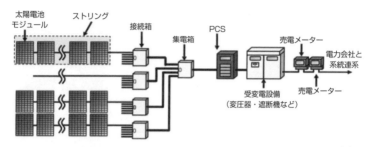

図6.2-3　太陽光発電システムの機器構成（大規模システム） [(14)]

②太陽光発電の特徴

　太陽光発電は他の自然エネルギー源と比べて、いくつかの特徴があり、それらを踏まえた上で設備計画などを検討することになります。

・太陽光エネルギーはほぼ全国均等に分布

　太陽光の日射強度は基本的には緯度によって決まってきますが（上巻・図1.3-2参照）、南北に長い日本列島でも年間日射量にそれほど大きな差異は見られません。多くの地域が、全国の平均値の±10％の範囲に収まっています [(15)]。その理由の一つに、北海道などの北の地方では、年間で最も日射量が多くなる6月頃の梅雨期の出力低下が少なくなることがあります。これは、次項の風力エネルギーが北の地方に偏っているのと比べると、送電線への負担が少なくなり、エネルギー輸送の点からはより望ましい状態です。全国どこでも利用できる分散型エネルギーであり、自然エネルギー拡大の主力として期待が集まっています。

・昼夜・季節・天候によるエネルギー変動量が大きい

　まず数秒程度のごく短い時間での急激な出力変動があります。これは主に日射が雲に遮られる影響ですが、より広い領域をとると変動が緩やかになる「ならし効果」で、ある程度は緩和されます（上巻・図4.2-4参照）。この影響を抑えるため、北海道電力エリアなどの大規模メガソーラーでは、蓄電池の併設が電力系統への接続の要件となっています。

　また日中12時前後に最大の日射量となり、夜間は発電しないのは致し方ないところですが、年間での日照時間・太陽高度変化により冬季に発電量が落ち、梅雨期にもかなりの出力低下が生じます。一方、昼間の発電量が多くなり、公共施設や工場などでの電力消費パターンと比較的良いマッチング関係にある点は、地方自治体などが、電力の地産地消を行う際には考慮に値します。

・比較的故障しにくくて、信頼性が高い

　太陽光発電システムは可動部分がなくて、故障しにくいという長所があります。最近は製品の信頼性も上がっていて、多くのメーカーが太陽電池モジュールに20〜25年間の性能保障を謳っています。したがって、住居用のものでは設置工事を確実に行うことにより、10年間のFIT買取期間中はほとんどメンテナンスフリーの状態が実現されます。

　一方、地上設置型のより大規模なシステムでは、専門家による定期点検が義務づけられています。ここでも初期的な確かな設備計画・施工によって、他の自然エネルギー源に比べてメンテナンス作業にかかる負担は軽くなります。

・広い敷地面積などが必要

　太陽電池モジュールを複数接続した太陽光発電では、モジュールの設置枚数（面積）で出力が決まってきます。このように他の火力発電のような機械システムとは大きく異なって、太陽光発電システムではスケール効果が働きにくいことが特徴です。水力発電のように途中にエネルギーを濃縮する自然の仕組みがなく、直接電力に変換するために、事業用の太陽光発電ではできるだけ平坦なまとまった面積の土地が必要となります。例えば、1MW（1000kW）クラスの地上設置型システムでは、少なくとも1ha（10,000㎡）の面積が必要となります。

　また、設置場所も私たちの日常生活圏に近いことが多くなるため、農業用地などとの利用法、景観との調和などで地域住民との調整が欠かせません。我が国全体としてどのくらいの発電量が見込めるかについては、より広く国土利用計画の中での議論も必要と思われます（第Ⅷ章参照）。

③太陽光発電のコスト構造

　自然エネルギー、そのうちでも太陽光による発電事業の性格が従来の火力発電とどのように異なるかについて、コストの面から少し考えてみます。

　図6.2-4に各種の発電方式による発電コストの内訳（2014年時点）が示されています。これは発電設備のトータル・ライフで発生する費用を発電電力量で割って算出したものです。最近はさらに大規模太陽光発電のコストが10円/kWh程度にまで低下していますが、内訳の特徴は大きく変わっていないと思われます。つまり、発電方式によって以下の3種類のパターンに色分

けされます。

・先行投資（資本費）中心で、運転維持費の割合が小さい：太陽光、陸上風力
・運転維持費の占める割合が比較的大きい：地熱、小水力
・燃料費がほとんどを占める：各種火力、バイオマス

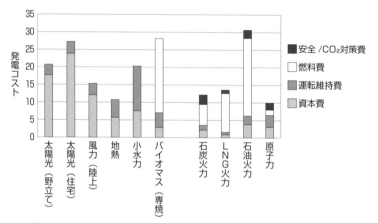

図6.2-4　発電方式による発電コスト内訳の比較（円/kWh）

（注）・「長期エネルギー需給見通し関連資料」（資源エネルギー庁、平成27年6月）のデータによる
　　　・発電コストは電源ごとに想定したモデルプラントについて、ライフサイクルにわたる総費用を発電電力量で割ったもの

　最後のグループ（除く一部のバイオマス）では、発電費用の大部分が燃料費として国外に流出するのに対して、そのほかでは設備調達の方法次第ではかなりの費用が国内（または域内）に残ることがわかります。従来の火力発電のようにエネルギー密度が高い上質の輸入燃料を利用する代わりに、太陽光のように密度の低い自然エネルギーを現地で集めることから始めると

いうプロセスの違いが反映されています。

　特に、太陽光発電では、初期投資の占める割合が高くて、初期計画と確実な設備施工が円滑な事業運営に重要となります。太陽光発電の維持費が少なくて済むことは、これから少子高齢化を迎える地域社会には好都合に思えますが、地方にとってはあまり雇用確保につながらないとの不満も聞こえます。初期投資費用を時間をかけて回収するというビジネスモデルは、上巻・第Ｖ章２項でも述べたように間接費の割合の大きい大手企業向きとは言えず、地場産業などが運営に携わるのにより適しています。

　さらに、太陽光発電の資本費の内訳を実例（注）に基づいて、図6.2-5に示します。コストのほとんど（約７割）を占めるシステム費用の中味を見ると、太陽電池モジュールなどのハードウェア調達品のコストが約半分です。太陽電池モジュールは図6.2-6のように規格製品の大量生産により、近年価格が低下していますが、現在でも最大の支出項目です。

（注）1MWクラスの発電所の実績データ（2013年）によります。

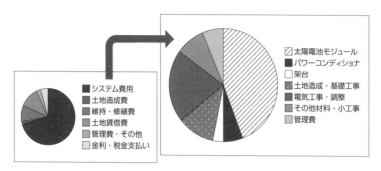

図6.2-5 太陽光発電コスト（左）とシステム費用（右）の内訳

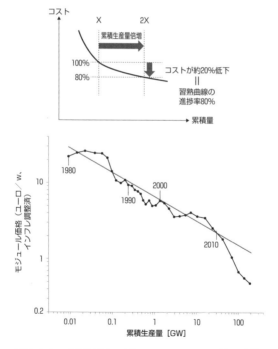

図6.2-6 太陽電池モジュールのコスト低減 [16]

（注）一般的な大量生産の工業製品ではこのような習熟曲線（ラーニン

グカーブ）に従って、累積の生産量が2倍になるとコストが一定の割合低下すると言われています。太陽電池モジュールの場合にはこの逓減率が他製品に比べて高く、約20％になることが確認されています。

　2000年代には我が国のソーラーパネルメーカーが世界の約半分を占める生産量を誇っていましたが、現在はコスト競争力に勝る中国メーカーが世界市場を席巻して、約3/4を占めています。太陽電池モジュールに関しては、性能向上（面積当たりのkW）とコストダウン効果が合わさって、今後もさらにkW当たりのコスト低下が見込まれています。

　一方、人工費が主体の工事費関係はそれほど下がることは難しく、さらに国内の適地が次第に少なくなってゆくために、土地造成費や付随する送電網の増強費用はむしろ上がってゆくものと思われます（注）。このほか、太陽光のように変動する電源が増えてくると、需給調整に必要な費用（蓄電池システムの導入、太陽光発電の出力抑制など）も考慮する必要が出てきます。

（注）電力系統への接続費用は、欧州では送電事業者が電気料金に含めて回収する方式ですが、我が国の場合には主に発電事業者の負担となっています。

　以上から、太陽光発電のシステムコストは今後も低下することが期待されますが、国内に限っては適地が限られてくることから、工事費、用地関係や系統接続費用はむしろ増加する可能性があります。したがって、太陽光発電コストは今後の太陽光

発電の拡大目標量や送電網の増強費用などの社会的なコストを誰がどのように負担するかなどとも関係してきます。

④太陽光発電コストの低下とグリッドパリティ

2012年からのFIT制度開始により、自然エネルギー電源のうちでも、太陽光発電がいち早く立ち上がりました。これには買取価格が当初割高に設定されたこと、技術の成熟化で私たちが取り扱いやすい身近なものになっていたために参入者が増えたことがあります。この自然エネルギー導入拡大の先駆けである太陽光発電のコスト低下が今後の電力市場に与える影響は、将来の自然エネルギーの動向を占う上でも大いに注目されます。

上巻・第Ⅴ章2項の固定価格買取制度（FIT）について振り返ってみます。政策の狙いは自然エネルギー利用による発電設備への民間投資を促すことにあります。このイメージをわかりやすく示したのが図6.2-7です。最初は電気料金として広く薄く集めた賦課金の形で支援して、設備の普及拡大と事業者の育成を通じてコストダウンを図って、あるところまで下がった後は市場の成り行きにまかせるのが本来の姿です。そのために時期に応じた適切な買取価格の設定が政策の成否を握る鍵となり、政策側の手綱さばきが求められます。そして、この手綱を切り離すタイミングが、グリッドパリティと呼ばれるポイントです。

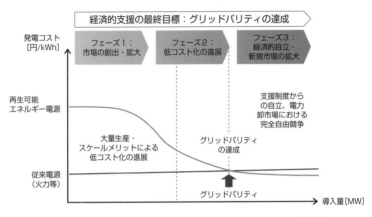

図6.2-7 FITを通じた発電コスト低下のイメージ [(17)]

　これまでのところ、諸外国を含めてどのような買取価格の推移になっているかを示したのが図6.2-8です。FITが2000年頃から始まった欧州では、ドイツの例のように1/10近くまで下がっているのがわかります。遅れて開始された我が国も同様の傾向が示されていて、2017年度より大規模な設備については、FITから次第に入札（オークション）制に移行するようになっています（注）。しかし、買取価格は欧州諸国と依然2倍程度の大きな開きがあり、最近のグローバルなビジネス展開からは考えにくいような状況となっています。

（注）2019年度は500kW以上の事業用太陽光発電が入札対象となっています。また、その他の事業用の買取価格は14円/kWhとなっており、最近の入札結果では10円/kWh程度の成立案件も出ています。

　この構造的な問題の要因については、他の資料 [(18)] に譲りま

すが、これらはあくまでも新設設備が対象です。これから時間が経過するにつれて、初期投資の回収を終えた既存設備の割合が増えてくると、メガソーラーなどの大規模設備では部分的なリプレースが資本費の主体となって、さらに発電コストの低下が進むことが予想されます。これは上巻・第Ⅴ章1項のように、他の火力発電設備などとは大きく異なる点です。以下では、より長いスパンで発電コストの低下が今後も続くと考えた場合の電力市場の変化について見て行きます。

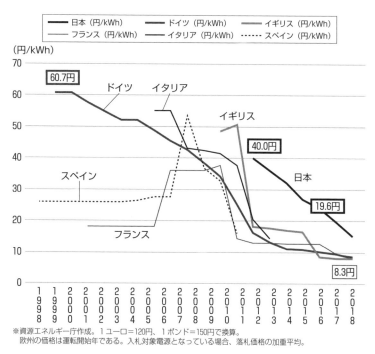

※資源エネルギー庁作成。1ユーロ＝120円、1ポンド＝150円で換算。
　欧州の価格は運転開始年である。入札対象電源となっている場合、落札価格の加重平均。

図6.2-8　太陽光発電（2,000kW）の各国の買取価格[(19)]

「再生可能エネルギーによる発電コストが既存の電力のコスト（電気料金）と同等かそれよりも安価になる点（コスト）」をグリッドパリティと称しています。家庭用の太陽光発電（10kW以下）で考えると、比較の対象となる既存の電力コストによって以下の3段階に分けられます。

・第1段階のグリッドパリティ：太陽光の発電コストが家庭用電気料金並み（2020年現在25円/kWh程度）
・第2段階のグリッドパリティ（ストレージパリティ）：太陽電池＋蓄電池の発電コストが家庭用電力料金並み
・第3段階のグリッドパリティ：太陽光の発電コストが火力電源コスト並み（10円/kWh程度）

　第1段階は少なくとも、各家庭が太陽光発電を設置しようというインセンティブが生まれるための条件になります。我が国でも図6.2-9のように、2014年にこの第1段階に達したと推定されています。これは平均的な住宅の場合ですから、個別には日照条件や家屋の構造などを含めて検討する必要があります。

　上記で、少なくともと言ったのは、発電した電力がすべて自家消費される場合にのみ当てはまるためです。通常は、昼間の時間帯には発電量の方が消費量よりも多いために、余剰電力をFITで大手電力会社に買い取ってもらうのですが、最近は余剰電力の買取価格も下がっています（注）ので、さらに太陽光の発電コストが下がらないといけないことになります。

（注）現状のルールでは自家消費して余った電力しか売れないこと（余剰電力買取）になっています。

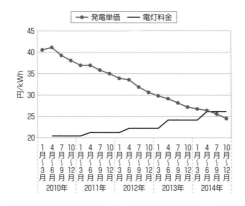

（注）太陽光発電の発電単価は、システムを20年間使うとして、その設備費、維持管理費、金利（割引率）等を含めて、1kWhの発電にかかるコストを算出したものである。電気料金は、10電力会社の電灯料金収入を電灯販売電力量で割ったものである。

図6.2-9　我が国の太陽光発電の発電単価と平均電灯料金の推移[20]

（注）主に再エネ賦課金の積算により電灯料金は年々少しずつ上昇しています。

　第２段階に到達すると、蓄電池を設置して、昼間の余った電力を貯めて、発電した電力をすべて自家消費しようと考える家庭が出てきます。これは送配電線に負担をかけることがなく、送電ロスも生じないため（注）、とても望ましい状態なので、政府も推奨しています。蓄電池の価格がまだ高額であるため、我が国では第２段階が実現するのは少し先ですが、太陽光の発電コスト自体が低いドイツなどでは既に到達したと言われています（図6.2-10）。

（注）蓄電池への電力の出し入れでの損失が発生します。

昨年（2019年）来、FITで最初に太陽光発電を設置して10年間の買取期間を終了したため、「卒FIT」と言われる家庭が50万軒以上出てきています。これらの家庭は、昼間の余剰電力を安い価格で電力会社に買い取ってもらうか、あるいは蓄電池を購入して、自家消費に回すかの選択をすることになります。第2段階のグリッドパリティとは少し比較の条件が異なりますが、やはり蓄電池の価格が判断の決め手になります。蓄電池の導入を支援するために、政府や自治体などでも補助金を用意しているところがあります。

　工場の屋根やビルの屋上などに設置した太陽光発電の場合でも、同様の事情ですが、事業用の高圧電力価格は家庭用に比べて半額近くと安いために、ストレージパリティが生じるのはさらに先になります。

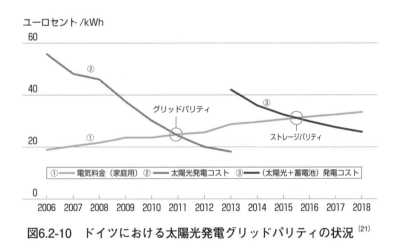

図6.2-10　ドイツにおける太陽光発電グリッドパリティの状況[21]

　第3段階になると、いよいよFITから自立して、一般の火力

発電などと電力卸市場でコスト競争ができるようになります（注）。ただし、太陽光のように変動する再エネ電力のコストを既存の火力発電などと比較する場合には、以下の点も考慮することが必要となります。

・変動電源の需給調整に余分なコストがかかる（マイナス効果）：火力発電の待機による稼働率の低下、蓄電池や揚水発電などのエネルギー貯蔵設備の整備と充放電時の損失、再エネの出力抑制。

・再エネの環境価値（プラス効果）：化石燃料に対してCO_2排出削減効果、あるいは将来の温暖化による損失を軽減する効果。

（注）実際には、電力小売会社などの仲介事業者が対応します。

　上記の「卒FIT」後の太陽光発電電力に対する大手電力会社による最近の引き取り価格の相場では、8円/kWh前後が多く、当面はこの水準が第3段階の目安となります。

　また、以上は新設の設備を対象とした場合ですが、これから割合が増えてくる初期投資の回収を終えた既設の太陽光発電については、上巻・第Ⅴ章1項のように限界費用がゼロに近づくことになり、「卒FIT」がその前触れとなっています。実際には、設備更新などの追加費用が発生しますが、それでも新設よりもさらに発電コストが下がるものと思われます。

　以上のように、自然エネルギー電源が自立して普及するためには、発電コストの低下が何よりも重要です。それによって、

新しいビジネス展開が開けてくることも感じ取って頂けたのではないでしょうか。また私たちも、「プロシューマー」として、再エネ電力の需給調整に参加することが期待されています。

3．風力発電

　風力は太陽光とともに変動する自然エネルギーの代表的なものです。太陽光発電が太陽の放射エネルギーを直接捉えて利用しようというのに対して、風力エネルギーが生まれる仕組みはかなり複雑です。しかし、風力エネルギーを効率的に利用するためにも、まず風の成り立ちから考えるのも意義のあることです。

①風はなぜ吹くのか？

　昔の人たちは、風を「天の神の息」と考えていたようです。大空に舞う龍を神様になぞらえて、龍が風炎を吹き出す天井画などを神社などで見かけたことがある人もいるでしょう。図6.3-1は有名な風神の姿で、かつては天の神が風の流れを起こして、天気の移り変わりを支配していたとも考えられていました。

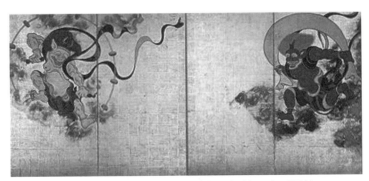

図6.3-1　風神雷神図屏風（俵屋宗達）：右が風神

　ところで、タイトルのような質問が投げかけられた時に、「大

気中でエネルギーを輸送するため」、とか「場所によって違うエネルギー状態を均等化するため」と答えてもなかなか現象をイメージできません。ここでは回りくどくなりますが、地球全体の大気とエネルギー移動を緯度方向、経度方向、鉛直方向の３次元に分解して考えます。

・**緯度方向**

太陽の放射エネルギーが地球にどのように入って出てゆくかの緯度ごとのエネルギー収支を示したのが図6.3-2です。

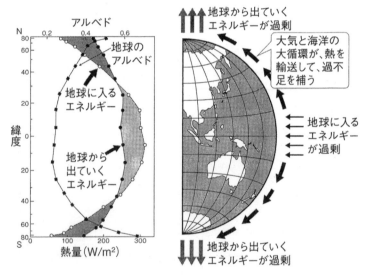

図6.3-2　地表面の緯度ごとのエネルギー収支と
大気・海洋の大循環による熱輸送 [22]

　地球に入射する太陽エネルギーは大気圏外では均一に分布していますが、実際に地球表面に達する量は赤道付近と南極・北極などの高緯度地方とでは、以下のように太陽光と地表面の成す角度の違いにより大きな差があります（図6.3-3）。

・南極や北極などの高緯度地方では太陽光がより広い緯度の範囲（広い面積）に拡がる。

・高緯度地方では太陽光が地表面に達するまでに空気中を通過する距離が長くなるため、空気中の水蒸気などによってエネルギーが吸収される割合が多くなる

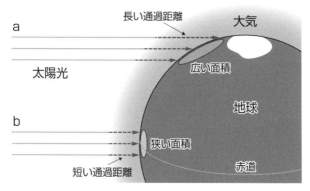

図6.3-3　緯度による日射量の違い

　地表面に到達した太陽放射エネルギーは一部が地表面で反射し、残りは吸収されて温度を上昇させます。一方では、暖められた地表からはその温度に応じて熱（放射）エネルギーが宇宙空間に向けて放出されます。その結果、エネルギー流入の大きい低緯度地方では高温に、流入の小さい高緯度地方ではより低い温度に最終的に落ち着くこと（平衡温度）になります。

ところが、実際には図6.3-2の左側のように低緯度地方（流入＞流出）、高緯度地方（流入＜流出）だけではエネルギーの流出入の収支がバランスせずに、地球表面で低緯度地方⇒高緯度地方のエネルギーの流れが生じることになります。この**緯度の違いによるエネルギーの過不足を補って、エネルギーの流れをもたらしているのが、大気と海洋の大循環**です。

　なお、本図に表示されたアルベドは地表面での太陽放射エネルギーの反射率を表しており、白色系が目立つ氷雪の多い高緯度地方では高く、海面、土壌や草木などの深い色合いが覆っている割合の多い低緯度地方では低くなっていますので、上記の傾向を強めることになります。

　エネルギーを赤道付近から南極・北極に運ぶために、働いている大気の流動現象（メカニズム）の主なものは以下の二つです。
・大気が膨張（収縮）することにより、周りに仕事をする（受ける）。内燃エンジンなどもこの原理で動いています。また、温度の違う大気同士は混じり合って、高温部から低温部へ熱エネルギーを伝えます。
・大気中の水蒸気を凝結させて（地上などの水分を蒸発させて）、周りの大気に熱エネルギーを放出する（周りから熱を奪う）。ここで移動する熱エネルギーは、普通の大気温度が"顕熱"であるのに対して、"潜熱"と呼ばれます。

・経度方向
　これは主として地球の自転の影響による見かけの力（慣性力）

が作用することによって生じる大気の流動です。

　地軸の周りに1日に1回転で表面の大気と一緒に回る地表面上にいる私たちは、大きなバケツの中で水と一緒にゆっくりと回る水面に浮かぶ蛙に例えられます。蛙がバケツの外の景色の変化を知覚しない限りは、自らが回っていると感じることはないでしょう。私たちも日頃の生活で自分たちが絶対空間に対して回転していると感じることはないでしょうが、今回のように地球規模での大きな流動では話は違ってきます。

　地上の大気が赤道側から極地方向に大きく移動するような場合を考えます。ニュートン力学の慣性の法則によれば、物体に力が働くことがなければ、物体はそのままの速度で運動を続けることになります。もし、赤道付近にあった地表に対して静止していた空気の分子がある時間経過後に高緯度側に赤道と垂直に水平移動したとします（図6.3-4）。この移動後にも、もともとの空気分子が持っていた赤道方向の速度は変わらないはずですから（注）、高緯度地点に移った後はあたかも周りの空気を追い越すような動きとなります。つまり、移動後の地点に立っている観測者にとっては、この空気分子には赤道⇨高緯度の移動方向に対して（北半球では）右向きの"見かけの力"が働いているように感じることになります。この"見かけの力"をコリオリ力と言います。

　実際には、大気は地球表面にくっついて動いていて、このような場合には角運動量mrv（m：空気の質量、r：回転半径、v：空気の速度）が保存されます。従って、赤道⇨高緯度の移動（r→小）に対して、速度が大きくなるように働く力（コリオリ

力）を考える必要が出てきます。

　図6.3-4で直感的に予想されるように、この見かけの力は赤道付近では小さく、**高緯度になるほど、（加速する）力が大きく**なります。これが我が国の気象に大きな影響を及ぼす偏西風の源です。

（注）実際には空気の粘性により、移動に対しては抵抗力が働き減速することになります。この他にも重力（地球の引力）が働いていますが、進行方向と直角であるため、分子の速度には影響しません。

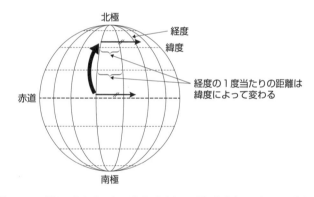

図6.3-4　見かけの力（コリオリ力）は地球自転によって生じる

・鉛直方向

　赤道付近では太陽の放射エネルギー（日射）が非常に強く、地上で暖められて蒸発した水蒸気が軽くなった空気とともに上昇気流に乗って対流圏（注）の上部に達して、そこで（低圧のため）膨張・温度が低下して雲を形成します。この水分を多量に含む上空の大気が中緯度側に流れ込み、途中で雨を降らせな

がら、周りの大気に潜熱を放出します。北半球では高緯度側に移動した上層の大気は上記のように西風となりますが、やがてコリオリ力によって右向きに働く押し戻す力が優勢となり、地上付近では逆向きの偏東貿易風が形成されます。このように鉛直方向の空気の流れが引き金になって、赤道から高緯度側へのエネルギー輸送がもたらされます。これが熱帯雨林気候で頻繁に発生するスコールのもととなります。

　逆に南北極域では地表面付近での冷却効果が強く働いて、冷やされて重くなった大気が下降して高気圧帯をつくり、地表では周辺の中緯度側に吹き出す流れとなります。これが我が国にも到来するシベリア寒冷高気圧などの源になります。

（注）地上から高度9〜17km（低緯度地域では高く、高緯度になると低くなる）までの間で、上空に行くにつれて温度が概ね一定の割合で減少する領域です。雲や降雨などの天候変化が見られるのもこの領域です。

　以上が、3次元方向の主な空気の流れ（風）を起こす要因ですが、実際にはこれらがさまざまに絡み合い、大気と海洋の相互作用などもあり大変複雑です。

　やや複雑ですが、図6.3-5が現在観測・推定されている地球規模の大気の大循環です。緯度に従って、大きく3つの領域とその間の中間地帯で成り立っています。表6.3-1にこれらを整理しています。これが地形などの影響を含まない地球表面の大気の流れ（風）の基本的な構造です。

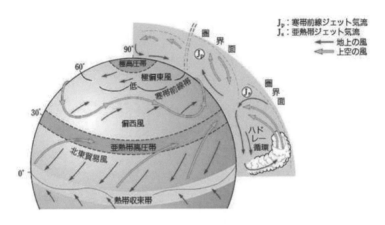

図6.3-5 大気の大循環（三細胞循環）[22]

表6.3-1 大気の大循環によるエネルギー伝達

領域	エネルギー伝達の仕組み	主たる駆動力
【熱帯収束帯】	優勢な上昇気流による雲の帯（熱帯雨林気候・スコール）、地上付近では南北よりの気流が収束	太陽放射エネルギー
貿易風帯（ハドレー循環）	**熱帯上昇気流の高緯度側への水平移動とこれに伴う地上付近の北東貿易風が直接循環を形成**、高緯度側上空の端に亜熱帯ジェット気流を形成	
【亜熱帯高圧帯】	乾燥大気の降下により高圧帯を形成（サハラ砂漠など）、熱帯海洋性気団は高温多湿（小笠原高気圧など）	
偏西風帯（フェレル循環）	コリオリ力が卓越して偏西風帯を形成、**温帯低気圧による前線での熱交換が主体**（直接循環なし）、高緯度側上空の強いジェット気流などにより移動性高気圧となる	コリオリ力

【寒帯前線帯】	北方の寒気と南方の暖気が地上付近で衝突（収束）し、上昇気流により上空で発散して寒帯前線ジェット気流を形成する	
極循環	**冷やされた大気降下により極に高圧帯、下層大気はコリオリ力により極偏東風となり直接循環を形成**、シベリア高気圧などの寒帯大陸性気団となる	放射冷却

　このうち、私たちの住む日本列島は偏西風帯の中央部から低緯度側に位置しています。偏西風は特に中緯度〜高緯度の地域では、赤道付近の強い日射による気流の上昇力に対して卓越して、地上付近、上空ともに地球をぐるりと一周して、その強さは高緯度の地域ほど強くなります（注）。例えば日本と米国を飛行機で往復すると、行きの方が帰りよりも1時間ほど所要時間が短くなることを経験すると思いますが、この偏西風の影響です。

（注）上空では最高で秒速100mにも達する猛烈な風が吹いています。

　このような偏西風が強く吹き続ける条件の下では、赤道から極地側への緯度方向のエネルギー伝達が途中で分断されることになります。これに代わるより効率的な手段として、図6.3-6のように周期的に発生する温帯低気圧によるエネルギー伝達が行われます。この温帯低気圧には、日頃の天気予報でもよく見かけるように、北方の寒気と南方の暖気がぶつかる寒冷前線と温暖前線を伴っており、その境界でエネルギー伝達が促進されます。

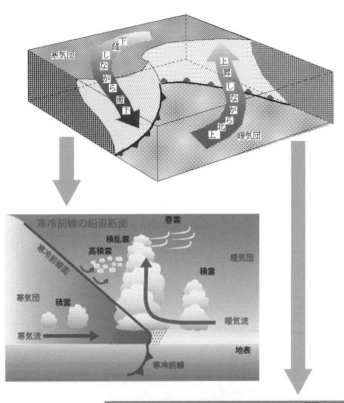

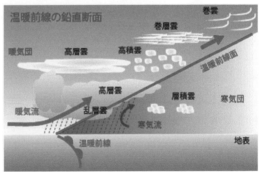

図6.3-6　温帯低気圧の立体構造（右側・温暖前線、左側・寒冷前線）[22]

52

　もう一つ注目されるのは、偏西風が周期的にうねる"蛇行"状態になっていることです。これは最近の天気予報で時々耳にする「**偏西風の蛇行**」で、我が国などの天気の変化に大きな影響を与えます。通常は偏西風の蛇行は時間とともに変動しますが、この動きが止まると低気圧や高気圧が同じ位置に長期間停滞する**偏西風のブロッキング**と呼ばれる現象になります。時として1カ月以上の長雨や干ばつのような異常気象につながることがあり、中長期の天気予報をする際の重要な鍵となっています[23]。

　また、北極の寒気を閉じ込めている偏西風端のジェット気流（Jp）は、そのエネルギーの大半を北の寒冷な大気と南の温暖な大気の温度差や圧力差から得ているため、**北極圏の温暖化が進むとジェット気流の勢いが弱まって大きく蛇行する**ようになると言われています。そのため、例えば2018年冬季のように北極域の寒気が南に流れ込み、欧州、東アジア、米国東部に強い寒波がもたらされました[24]。

　話題が風のでき方から気象全般に移ってしまいましたが、地球温暖化は単なる平均気温の上昇に留まらず、大気の流れ（風）を通じて、世界各地の気象に大きな影響を与えています。最近あちこちで「何十年かぶり」という異常気象が頻発しています。私たちの日常の天気の変化や長期的な気候の変動は、このエネルギー伝達の絶妙なバランスの上に成り立っていて、「地球温暖化」と「気候変動」が同時に進行しています（本項末コラム参照）。

②日本列島の風力エネルギー環境（風況）

　上記は全地球規模での大まかな大気の流動メカニズムです。私たちの周りを吹く風も基本的にはこの仕組みの中で動いていますが、さらに地形や陸地・海洋の相互作用が状況を複雑にしています。日本列島は偏西風帯の中でも低緯度～中緯度に位置しており、地球の公転と地軸の傾きにより四季の変化があり、季節によって吹く風の強さや方向が大きく変化します。偏西風の風上側にユーラシア大陸があるため、我が国の気象変化や風況は大陸の影響を強く受けます。以下は我が国を取り巻く代表的な風の流れです。

・季節風

　ユーラシア大陸の東の外れに位置する日本列島では太陽日射に対する大陸と海洋の温まり方のスピードの違いの影響がさらに加わって、強い季節風が発生します。冬季には大陸の放射冷却によって勢力を強めたシベリア高気圧と日本の北東（オホーツク）海上に発達した低気圧によってできた西高東低の冬型気圧配置によって、厳しい北西の季節風が吹きつけます。特に、北海道や東北の日本海側地方には身を切るような寒風をもたらしますが、一年中で最も多くの風のエネルギーがもたらされる時期でもあります。

・局地風と台風

　日本の国土の約70％が山岳丘陵地で、しかも列島の中央を山脈が走る複雑な地形は風向・風速の乱れを伴い、局地的な風が発生することが多くなります。これが主に太平洋側では「おろ

し」、日本海側では「だし」と呼ばれる局地風です（注）。台風
や竜巻などの突風のように一過性の強風も吹きますが、これら
は通常はエネルギーとして利用することは難しく、風力発電で
は落雷とともに設備に被害をもたらす元凶でもあります。

（注）阪神地区の「六甲おろし」、中京地区の「伊吹おろし」、関東地区
　　の「筑波おろし」が有名です。

　風力発電などで風のエネルギーを利用するには、できるだけ
安定した強さの風が吹き続ける立地場所の選定が極めて重要です。
　図6.3-7は風速に対する風力発電機の出力例です。風力発電で
はシステムの設計条件に相当する定格風速（通常は$12\sim14$m/s）
以上の強さの風が吹いても、回転機器の安全性を確保するなど
のために風車の羽（ブレード）にかかる荷重、すなわち発電機
の出力を抑えるように制御されます。さらに風速25m/s以上に
なるとフェザリングといって、風車の羽が風を受け流す（出力０）
仕組みになっています。つまり、設計風速に近いある程度の強
さの風がコンスタントに吹くのが風力発電にとって理想の状態
です。

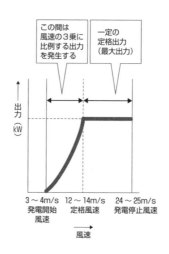

図6.3-7　風力発電機の風速に対する出力例 [25]

・地上風

　もう一点考慮しなければならないのが、地上付近の風には図
6.3-8のように「境界層」と呼ばれる鉛直方向に速度分布がある
ことです。これは地面などから風に対して摩擦力が働き、そこ
での風速が抑えられることによるものです。大型風力発電を計
画する時には、地表面から50mぐらいまでの「接地層」と呼ば
れる領域での速度分布を事前に計測して、その影響ができるだ
け少なくなるような風車の設置場所・大きさなどを選ぶことに
なります。

　また、この境界層の影響を少なくするために、小高い丘や山
のてっぺんに設置する例も見られます。これらの場所では地形
が風を増速させる、または境界層をより薄くする効果が期待で
きる場合もあります。

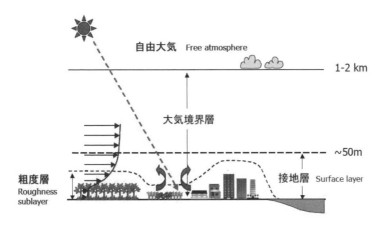

自由大気 Free atmosphere

1-2 km

大気境界層

~50m

粗度層
Roughness
sublayer

接地層 Surface layer

図6.3-8　大気境界層のイメージ ⁽²⁶⁾

・日本の風力エネルギー分布（風況）

　我が国周辺の風況については、風力発電の普及促進のために、環境省と新エネルギー・産業技術総合開発機構（NEDO）よりデータが公開されています。最近はシミュレーション技術の進歩もあり、局所の観測データだけではなくて、気象モデルや地形情報などを駆使して詳細な情報が得られます。

　図6.3-9が高度80mでの年間の平均風速分布です。風力発電が経済的に成立する目安は、年間の平均風速が5.5m/s以上であることと言われています。日頃これだけの強さの風が吹くことがあまりないので、条件の厳しさが想像できるかと思います。この風速5.5m/s以上の領域がどのように分布しているかを眺めてみると、以下の点が確認されます。

・風況に恵まれているのは北海道、東北の北日本地方である

・関東以南では陸地上の平均風速5.5m/s以上のエリアはほとんど山岳地域と重なる

・海上に風況の良好なエリアが広がる

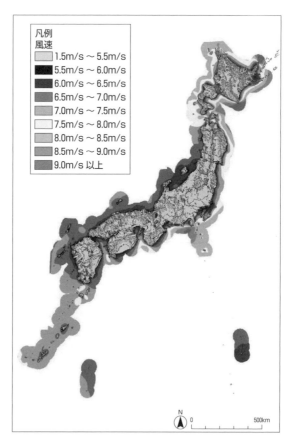

図6.3-9　全国の年平均風速の分布（高度80m、離岸距離50kmまで）[27]

（注）巻頭のカラー図を参照してください。

　上記のように、より高緯度側に位置する北日本では、偏西風の影響が強く現れ、冬期の大陸からの季節風と合わさって豊かな風力エネルギーがもたらされます。これに対して、関東以南の地方では平地で風況に恵まれた地域は比較的少なくなっています。また、海上では陸地の樹木や建物などのように境界層を発達させる障害物もなく、かなり強い風が吹きます。これが我が国の**風力エネルギー賦存量**の概観です。

　しかし、周辺環境や各種の社会的条件、事業採算性（例えば山地に風車を設置するのはコストがかかる）などを考慮すると、このうちで実際に利用できるエネルギーはその一部で、これを評価したものが風力の導入ポテンシャルです。表6.3-2はこのような各種の前提条件をシナリオとして与えて、**風力発電の導入ポテンシャル**を地域ごとに算定した結果です。下記の点がより明瞭に表されています。

・北海道および東北地方の導入ポテンシャルが圧倒的に高い（陸上では約８割）
・洋上風力の導入ポテンシャルが陸上よりもさらに高い（基本シナリオでは約２倍）。そのうち後述の浮体式工法を必要とするものが過半を占める。

　風力発電の場合には、地形や周辺環境への影響などをさらに詳細に考慮する必要があるため、現実に発電可能な電力量は導入ポテンシャルよりはかなり少なくなると思われます。

表6.3-2　電力供給エリア別の風力導入ポテンシャル[28]

（単位：万kW）

電力供給エリア	陸上		洋上		
	基本シナリオ	参考シナリオ	計	着床式	浮体式
北海道	11,823	18,178	24,845	9,221	15,624
東北	3,803	8,878	7,901	2,162	5,739
東京	284	618	4,785	2,148	2,637
北陸	246	518	0	0	0
中部	586	1,129	2,621	1,100	1,520
関西	656	1,612	114	13	101
中国	657	1,889	0	0	0
四国	271	610	481	157	324
九州	658	1,419	569	107	462
沖縄	174	184	348	347	0
合計	19,157	35,035	41,662	15,256	26,407

（注）現在の全国の発電能力全体に対して、陸上風力（基本シナリオ）は0.8倍、洋上風力（同）は1.7倍の容量です。風力発電設備の稼働率は火力発電の1/3程度ですから、実際の発電量はより小さくなります。

　比較的早くから風力エネルギーの活用が進んでいる欧州の風況と比べてみます。

　図6.3-10が西欧諸国を中心とした大まかな風況マップです。欧州大陸はアルプス山脈などを除けば、中部から北部にかけては大昔に氷河が削った比較的平坦な地形が拡がっています。緯度は図6.3-11のように、日本列島に比べてかなり高緯度に位置して、我が国のように偏西風の風上側に大陸がないため、風況も概ね緯度に従った分布となっています。特に、北海沿岸や英国では年間の平均風速が6.5m/s～7.5m/s、ドイツやフランス北

部などは概ね5.5m/s〜6.5m/sとなっています。我が国では陸上で平均風速5.5m/s以上の領域が非常に限られているのと比べると、かなり恵まれた環境にあることがわかります。さらに北海や英国周辺海域に7.5m/s以上の風況の非常に良いエリアがあります。風のエネルギー量は風速の３乗に比例しますから、我が国と比べると風力エネルギー資源量の差異はかなり大きいと言えます（注）。

（注）例えば、風速5.5m/sと7m/sでは約２倍のエネルギー差が生じます。

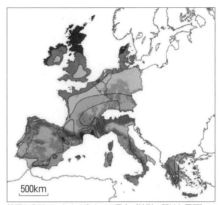

地面から50メートルの高さでの風力（地形：開けた平野）

	m/s	W/m2
	<4.5	<100
	4.5-5.5	100-200
	5.5-6.5	200-300
	6.5-7.5	300-500
	>7.5	>500

海面から50メートルの高さでの風力（10km以上沖合）

	m/s	W/m2
	<5.5	<200
	5.5-7.0	200-400
	7.0-8.0	400-600
	8.0-9.0	600-800
	>9.0	>800

（出所）「Wind Atlas」をもとに作成

図6.3-10　ヨーロッパの風況（上：陸上、下：洋上） [(29)]

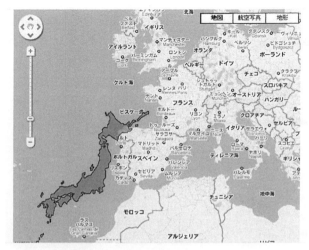

出典 fushou. web. fc2.com

図6.3-11　欧州と日本の緯度比較

　以上、風の細部にわたる話になりましたが、それだけ風のエネルギーを効率的に捉えるためには場所の選定が極めて重要ということです。特に我が国のような山岳地形では、風の動きも複雑で、事前に詳細な調査が求められます。

③風力発電の原理

　風力発電は風（空気分子）の運動エネルギーを電気エネルギーに変換しています。もう少し補足すると、風の運動エネルギーが風車のブレード周りに働く空気の圧力分布の形を変えます。この圧力が合算されたものがブレードを回転する力となって、発電機を駆動しています。

風力発電機の出力Pは以下の式で表されます。

$$P = \eta \cdot (1/2\,mV^2) = \eta \cdot (1/2\,\rho\,AV)V^2 = \eta \cdot (1/2\,\rho\,AV^3)$$

η：発電システムの効率、ρ：空気密度、m：空気分子
の質量、A：風車ブレードの回転面積、V：風速

（$1/2\,mV^2$）は空気の運動エネルギー、ηは風のエネルギー
を電力に変換する効率を表し、主に風車ブレードの空力効率で
決まってきます。ηは理論的には最大でも60％程度です（注）。

（注）効率100％は風の運動エネルギーがすべて電力に変換された場合に
　　　相当しますが、その時には風車後方の風速（運動エネルギー）が0
　　　となって、実現できないことがわかります。

したがって、**風力発電の出力を上げるためには風車ブレード
の回転面積A（ブレード径の２乗）を大きくすることとともに、
強い風（Vの３乗）を捉えることが決定的に重要**となります。

図6.3-8で見たように、できるだけ地上の境界層の影響を受け
にくくする狙いもあって、最近は世界的にブレードの半径を大
きくして出力を増加させる傾向にあります（図6.3-12）。いずれ
の場合も、ブレードの発生する騒音（超低周波音）や景観など
の環境問題との調整が必要で、我が国では環境アセスメントの
実施が義務づけられています。

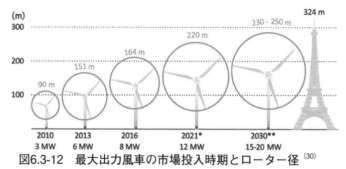

図6.3-12　最大出力風車の市場投入時期とローター径[(30)]

（注）例えば、一番右側の風車は2030年に出現が予想される直径230〜
　　　250mのブレードで、出力が15〜20MWクラスを表します。現在稼働
　　　している最大の風車は直径164m・8MW（MHIベスタス製）で、
　　　2021年に向けては12MWクラスの風車が計画されています。

④洋上風力発電の開発と課題

　我が国の場合には、陸上での風力発電の適地が限られるため
に、風力発電量を伸ばしてゆくにはどうしても洋上に進出する
ことが必要になります。

　風力発電の主要部は風車（ロータブレード、ハブ）、発電機
とそれを覆うナセル、支持構造（タワーなど）、送変電設備（海
底送電ケーブルを含む）から成り、部品点数１万点以上にも及
ぶ複雑かつ超大型のシステム製品です。ここでは、紙面の関係
上、大まかな構造を簡単に紹介します。

　風力発電の形式は図6.3-13のように、陸上から洋上に向かう
につれて、構造が複雑化してゆきます。洋上風車では水深、海
底の地形や地質、海流の状況などによってどのような支持構造

とするのが良いかが決まってきます。水深が大体30m〜50mを境として、それよりも浅い領域では海底から支える着床式、それよりも深くなるとブイのように海面に浮かせて海底から索などで係留する浮体式を採用することになります。我が国の沿岸海域は水深が深い所が多く、表6.3-2のように浮体式風力発電の導入ポテンシャルが高くなっています。

構造も図の右側の浮体式にいくほど複雑になり、当然のことながら建設費用も高くなります。一般的には洋上風力では陸上に比べて、建設費用が1.5〜2倍に膨らむと言われており、浮体式の実施例はまだ少ないのですが、さらにコストがかかることが予想されます。したがって、陸上に比べて風況が良いというメリット（注1）を生かすために、メンテナンスなどの維持作業までを含めて経済的なシステムを構築することが、事業として成り立つための鍵となります（注2）。

経済性を追求するために、風車の大型化が指向され、現在風車の大型化・軽量化設計などの構造技術の開発や実証試験などが行われています。

（注1）設備利用率は陸上の2倍近くの40％程度です。なお、設備利用率は設備の発電能力（24時間フル稼働）に対する実際の発電量の割合です。

（注2）我が国の陸上風力の平均発電単価は世界で最も高く、欧米諸国の2倍以上と言われています（2016年）。この点に関しては、いくつかの要因が指摘されています[31]。

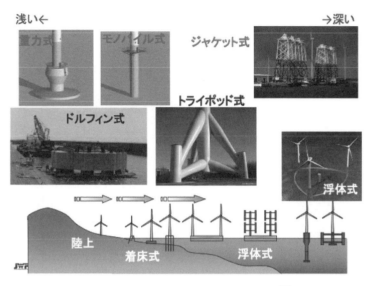

図6.3-13　洋上風車の基礎構造の形式 [32]

　さらに洋上風力発電の開発で一歩先を行く欧州での先行的経験からは、我が国も大いに参考にすべき内容があり [33] ～ [35]、主なものを以下に取り上げます。これらのかなりの部分は陸上の風力発電とも共通する内容となっています。

（1）**規模の経済性追求**：超大型風車を数百台並べたギガ（10^6キロ）ワット級の洋上ウィンドファームに代表されるように、多数の洋上風車を短期間に出荷することにより製造・建設コストを抑えることができます。また初期の建設費を抑えるだけでなくて、標準化された仕様のウィンドファームではメンテナンス作業の効率化にもつながります。

（2）**関連産業インフラの整備**：洋上風力発電所の建設・維持

作業には特殊な大型設備が必要となります。例えば、大型風車を波浪などに左右されずにクレーン作業ができる建設専用船（SEP）、維持や修理専用の作業船、SEP船に効率よく風車機器を積み込む拠点港の整備など（図6.3-14に一例を示します）です（注）。

（3）**作業習熟**による経済効果：上記の量産効果も相まって、世界の陸上風力発電では累積の導入容量が2倍になると建設コストが9％、発電コストが15％低下するという実績が得られています[36]。また、海洋での大規模土木作業には特殊な知識と経験が必要で、特にイギリスなどでは北海油田産業の機材や経験が活かされています。

（4）企業間の競争と協調：新規参入企業を含めて技術および価格競争が活発になり、各構成部品の**サプライチェーンを含めて国際競争力のある企業を中心とした最適なエコシステム**ができることが期待されます。大型の部品組み立てが必要となるため、欧州では輸送の効率化などの面から図6.3-15のように拠点港の近くに産業集積地が形成されています。

（注）最近、戸田建設㈱などが半潜水型のSEP船を導入しています。

図6.3-14　洋上風車の出荷拠点（積出港）デンマーク・
　　　　　エスビャール港の例 (32)

図6.3-15　洋上風車基地　ドイツ・ブレーマーハーフェンの例 (32)

⑤風力発電拡大による電力送電系統の問題

　風力エネルギー利用のもう一つの課題である、北海道・東北地方へのエネルギー偏在は送電網整備の問題に直結します。最近も、東北電力が青森・秋田・岩手の全域で送電線の「空容量がゼロ」になったと発表して、話題を呼びました。現在は、風力発電の導入ポテンシャルの高い東日本エリアのかなりの送電線が空容量不足の状態であると言われています。

　そのため、実際に電力会社の基幹送電系統について、利用率（注）を調べた結果が図6.3-16です。送電線利用率の全国平均はかなり低く（19.3％）、「空容量ゼロ」と公表された路線についても、その他の路線とは実利用率に大差はなく、東北電力の空容量ゼロ区間はむしろ全国平均よりも低くなっています。

　（注）利用率とは、実際に送電線に流れた電流の測定値をその送電線の
　　　　設備容量（安全に電流を流せる上限値）で割ったものです。本図の
　　　　データは公表されている基幹送電線のみが対象で、これらよりも低
　　　　圧の送電線の利用率データは非公表です。

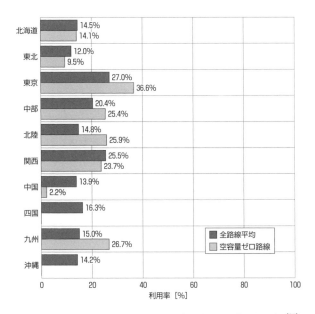

図6.3-16　各電力会社基幹送電線の年間平均利用率[37]

　このような大きな評価の差がどこから出てくるのかについての詳細な分析は参考文献[37]に譲りますが、主な要因として自然災害のようにまれに発生するリスクに対してどこまで余裕を見ておくべきかというリスクマネジメントの考え方があります（図6.3-17）。さらに、「空押さえ」とも言われる、将来の原発の再稼働のための枠を発電容量一杯確保しているという電力会社の事情が加わっています。

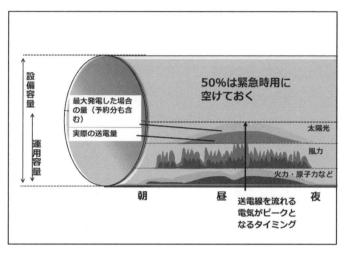

図6.3-17　送電線の設備容量と運用容量のイメージ [38]

　この問題を解決するためには以下のような対策が考えられ、電力会社によっては部分的には実施に移されています。大手電力会社間の地域間連系線の運用についても似たような状況があり（上巻・第Ⅳ章7項参照）、風力発電などの自然エネルギー導入拡大のためには、これらの対策をさらに推進する必要があります。

・送電線の運用見直し：「日本版コネクト&マネージ」

　欧州などで取り入れられている考え方ですが、再エネはできるだけ系統への接続を認めて、その上で既存の電力系統を最大限活用して最適な運用方法を考えるものです。必要に応じて、再エネの出力抑制（上巻・第Ⅳ章7項参照）なども実施されます。

・送電線の増強

　上記の運用で賄えない場合には、送電線容量の拡大が必要となります。そのための経済性や費用負担をどうするか（電力消費者、電気事業者など）の検討も始まっています。

・水素などへのエネルギー変換

　特に、北海道・本州間や洋上風力における長距離の海底送電線では設備コストが大きくなります。その先の送電線の容量増強を含めてコスト増加が過大となる場合には、自然エネルギーを一旦水素やメタンなどに変換して（Power to Gas）輸送する方法も選択肢に入ってきます（上巻・第Ⅳ章9項参照）。

　FIT制度の導入によって、太陽光発電がいち早く立ち上がったのに比べると、現在のところ風力発電はゆっくりとした増加になっています。これは事前の綿密な調査や環境アセスメントなどの手続きに時間がかかることもありますが、洋上風力発電導入への環境整備が遅れたことも一因です。国の主導により洋上風力発電に適した「促進区域」を指定し、事業者の海域占有期間を定めるなどの法制度が整備されつつあります。

　今後自然エネルギーの導入拡大に向けては、太陽光と風力が中心となって展開するのは間違いのないところでしょう。その際には、図6.3-18のように、太陽光発電は1日の間の変動だけでなく、年間を通して季節変化が大きいため、それを風力がうまく補完して、両者がバランス良く伸びていくのが、自然エネルギー発展の理想的な姿です。

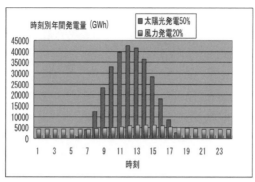

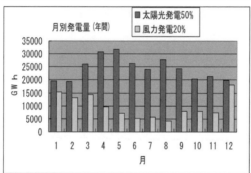

図6.3-18　太陽光／風力発電量の時刻・月ごとの変化 [39]

（注）電力需要100％に対して、電力供給量が太陽光50％、風力20％とした場合を想定しています。

●コラム　偏西風の蛇行と我が国の異常気象

　流れの蛇行は、図6.3-19のように自然界では基本的な現象としていろいろなところで観測されるものです。平野を流れる河川が曲がりくねる様子などもその一例です。それらの中でも、地球上で最もスケールの大きいものが、偏西風の蛇行です。波の波長で考えると、優に1000kmを超えることがあります。

図6.3-19　煙突からの煙[(40)]

　流れの蛇行が発生する状況は、起点となる上流の障害物の影響のほかに、流れの速さや、空間での圧力・温度の分布などが複雑に関係していると言われます。地球温暖化は、この蛇行現象にも影響を及ぼすことが予想されますが、あまりにも多くの要素が関係しているために、その直接的影響を推定することは困難です。特に、我が国の場合には、上流側に8000m級のヒマラヤ山脈を抱くチベット高原が鎮座するために、その影響も強く現れてきます。

遙かに遠方の事象のように思えますが、ユーラシア大陸の地図を広げると、偏西風の蛇行の規模と我が国との位置関係、チベット高原などの標高と10km余りの対流圏の厚みなどの全体の様子がイメージできると思います。

　以下は、最近の我が国での記録的な大雨や日照不足（「令和２年７月豪雨」）の要因に関して気象庁が発表した見解から偏西風に関する部分を抜き出したものです（2020年８月20日発表）。

・西方のユーラシア大陸上空で偏西風の蛇行が強化される（シルクロード・テレコネクション）。

・その結果、偏西風の蛇行がほぼ同じ位置で持続し、日本付近では偏西風の北上が遅れて、梅雨前線が長期にわたって停滞した。

　また、それに引き続く８月の猛暑については、天気予報などで「上空の偏西風の蛇行によって日本付近に停滞した高気圧と、太平洋の高気圧が『２段重ね』となった」のが主因と説明されています。この上段側が、正にチベット高気圧とも称され、偏西風がもたらしたものです。

　気象関係者は長期予報では、まず偏西風の動きに注目していますし、私たちも頭に入れておくと、天気予報の解説がわかりやすくなりそうです。

4．バイオマス発電

　最初に、バイオマス（エネルギー）の定義についてですが、「動植物に由来する有機物である資源のうち、化石資源を除いたもの」となっています。つまり、太陽エネルギーを受けて有機物を生成、さらに摂取するという生命体の活動（bio）が介在して持続的なエネルギー資源（mass）につながっていることが、他の自然エネルギーと大きく異なっている点です。

　このバイオマス・エネルギーにも幅広い種類がありますが、共通するのは主な成分が大気中のCO_2と太陽エネルギーを取り込んでできた有機物であることです。バイオマスの燃焼などによってCO_2を排出しても、それはもともと空気中にあったものです。したがって、過剰な消費によって資源の循環に悪影響を及ぼさない限りは、**バイオマスは地球温暖化には結びつかない、「カーボンニュートラル」**なエネルギーです。

　図6.4-1は現在の我が国のバイオマスの年間フローです。バイオマスの分類ごとに、国内で利用できるエネルギー量と既に利用されている割合を示しています。製紙業や食品産業などのように、製造プロセスの一部に組み込まれているものは産業ベースでほとんど消費し尽くされ、下水汚泥などの廃棄物系バイオマスは地方公共団体を中心にかなりの部分までエネルギー利用が進められています。

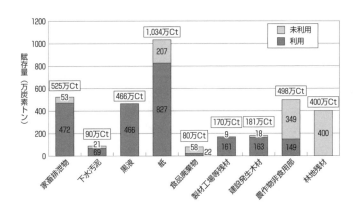

図6.4-1　バイオマス種別のエネルギー賦存量と利用割合 (41)
（注）賦存量は含有される炭素量で表示されています。黒液とは、木材
　　　パルプを作る時に木材チップを溶剤で溶かした後にできる廃液を濃
　　　縮したもので、燃料として再利用されています。

　一方、未利用として残っている主なものは、林地残材と農作
物非食用部です。前者は山林に放置されている未利用間伐材な
ど、後者は稲わら、もみ殻、麦わらなどです。実際には稲わら
などは、田畑への鋤き込みなどで肥料相当として使われている
ことも多いので、これからバイオマス・エネルギーとしての活
用を検討してゆく主な対象は林地残材などの木質バイオマスに
なります。バイオマス全体（ストック）のうち、エネルギー賦
存量として大部分を占めるのも木質バイオマスですから、以下
では木材の利用に焦点を当てることにします。

　山林に放置されたままの間伐材が年間に約2000万㎥発生して
います。これが図6.4-1の林地残材400万トンの炭素量（注1）

に相当しています。もし、これがすべてバイオマス発電に利用されたとすると、100万kWクラスの発電能力（大型火力発電所1基分）に相当し、全電力使用量の約1.3%（熱利用を含めると、さらに最大約3倍のエネルギー量）を賄うことができます（注2）。また、既に活用されている分も合わせると、バイオマスから取り出せる電力量は全体の数%のレベルであると推定されます。

（注1）2000万㎥×比重0.4×炭素割合0.5
（注2）発熱量は2000万㎥×0.4×10^3×10^4×20MJ/kg×0.28kWh/MJ＝450億kWh、電力変換率を0.3とすると最大で年間135億kWhの電力を生み出します。

　我が国の森林面積からすると、思ったよりも少ないと思われるかもしれません。この利用量を伸ばしてゆくのが大事ですが、バイオマス活用には以下に述べるような環境保全を含めて重要な役割が含まれています。

①木質バイオマス・エネルギーについて

　まず木材に関する豆知識からです。

【クイズ⑨】

　木材は水に浮くでしょうか？

「そんなの言われなくても、浮くに決まっているではないか！」という答えが返ってきそうです。でも、インターネットを調べ

てみると、そんなに話は単純ではないようです。

リグナムバイタという中米産の広葉樹は世界で最も重くて、比重が1.3もあるそうです。木が空隙のない中味が完全に詰まった状態だとすると、その比重は木の種類に関係なく大体1.5とのことです。リグナムバイタは含まれる空気の量（空隙率）が全体の13％しかなくて、残りが細胞のため、このように重い（比重1.5×0.87）のです。

これに対して、針葉樹の杉では、養分を含む水分を根から吸い上げ、樹幹を通って、高い所の葉先にまで行き渡らせるため、仮道管という極微小の細胞壁からなる無数の空洞が樹幹部に稠密に張り巡らされていて、比重が0.38と低くなります。少しでも背を高くして、太陽エネルギーの獲得に有利となるための針葉樹の生存戦略でもあります。一般的には、空隙率が低く、細胞の密度が高い広葉樹では針葉樹より比重は高くなります。

さらに、木が含んでいる水分の量によっても、比重は大きく違ってきます（注）。

（注）木材を乾燥させて、含水率が15％になった状態で比較することにして、これを「気乾比重」と呼んでいます。

木を燃やして熱エネルギーを取り出す際にも、似たような関係があります。細胞は炭化水素でできており、これを構成する炭素と水素が空気中の酸素と結合すると熱エネルギーが放出されますが、このプロセスが燃焼です（上巻・第Ⅰ章2項参照）。炭素は木材の乾燥重量の大体半分を占めますが、元はと言えば、木が空気中のCO_2と地中の水分を吸って、光合成により太陽エ

ネルギーを細胞に蓄えたものです。**木はCO₂吸収源としてだけではなく、エネルギー貯蔵庫としても大切な役割を果たしてくれています。**

　大まかには、取り出せる熱エネルギーは木材の重量（細胞の量）によって決まってきます。さらに、含まれる水分は燃焼の際に蒸発することによってエネルギーを奪うことから、その分だけ取り出せる熱エネルギーは少なくなります。

　以上のことから類推されることは、

・**木材を燃やして得られる熱エネルギーの量は木材の重量によって、一般的には比重の高い広葉樹が針葉樹よりも体積当たりの熱エネルギーが大きい。**広葉樹はより細胞の密度が高く、じわじわと燃焼が続くため、昔から薪や炭の原料として重用されてきた。

・木材（他のバイオマスも）を燃えやすく、かつ多くの熱エネルギーを取り出すためには、事前に十分に乾燥させることが大事である。

　図6.4-2は、私たちが使うエネルギー源の歴史的な推移（世界）です。ここ百年余りの間に薪炭⇒石炭⇒石油・天然ガスへと転換してきた様子が見て取れます。100年少し前まで私たちの生活を支えていたエネルギーは木質バイオマスでした。ここ100年余りでエネルギー全体の消費量が飛躍的に伸びているため、このような見かけになっていますが、一部の発展途上国では現在でも主要なエネルギー源です。

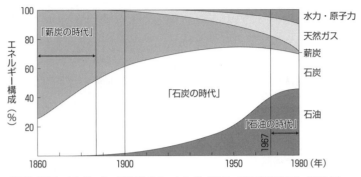

［出所］資源エネルギー庁：「地球時代のエネルギー戦略」、通産資料調査会（1989 年）

図6.4-2　世界のエネルギー構成の推移

②地球温暖化対策と森林・木材の役割

　木質バイオマスあるいは木材を供給する森林は、私たちの生活に多面的で有用な価値（生態系サービス）を提供してくれています。水資源の保全や表土流出の防止など、私たちの生活にとって欠かせない役割です。エネルギー生産はその一部の機能に過ぎません。人類文明の発展の土台に森林とそこから生み出される木材があり、過去にはそれを乱伐して使い尽くすことによって文明の崩壊につながった例もあると言われています[(42)]。

　ここでは、地球温暖化対策の観点から、木質バイオマス・エネルギーの利用を検討する際に忘れてはならない、下記の点を確認しておきます。**木材の育成と利用のサイクルを総合的に考えることが、資源循環型の持続可能な社会を築くために非常に重要**です。

（1） 森林はCO₂の貯蔵庫である

　森林は空気中のCO_2を吸収して、固定化する陸上最大の器です。上巻・第Ⅰ章の炭素循環図（図1.4-1）で紹介しましたが、**森林の構成樹木とその土壌には大気中のCO₂量の約３倍の炭素が化合物などとして取り込まれています**。私たちが化石燃料を燃やして、空気中に大量に排出したCO_2を納める最後の拠り所が森林などの樹木です。

　上巻・第Ⅱ章２項でも述べたように、森林を焼き払ったりして破壊することは、CO_2の放出だけでなく、CO_2の吸収源を奪ってしまうことになり、地球温暖化に二重のダメージを与えます。また、上巻・Ⅳ章４項で取り上げたように、それが熱帯雨林であれば、再び元に戻すことが困難になるため、さらに深刻です。

（2） 建設資材などの木材利用でCO₂削減に貢献する

　かつては木材の主たる用途は家屋や橋梁などの木造構造物、家具などの耐久消費財、農耕器具などの木工製品でした。それが近代以降、鉄・コンクリート材料やプラスチック製品にどんどん置き換わってきました。上巻・Ⅲ章９項でも見たように、鉄・コンクリートやプラスチックは製造される過程で多量のエネルギーを必要とし、CO_2の大きな発生源となっていて、さらに最近は廃棄時の問題もクローズアップされています。

　したがって、このようなエネルギー集約型資材を木材で代替する効果は非常に大きくなります。輸送エネルギー消費が少ない、地域や国産の木材を使った製品をできるだけ長く使い続けるのが本当にエコなライフスタイルです。

例えば図6.4-3のように、木造住宅の炭素貯蔵量、材料製造時ののCO_2排出量は鉄筋コンクリート造などと比べて、環境性能においてとても優れています（注）。最近の話題では、新国立競技場が木材を大幅に取り入れた建築工法を採用して、注目されています。

（注）木造住宅などでの炭素貯蔵については、欧米のように家屋の長寿命化も重要となります。

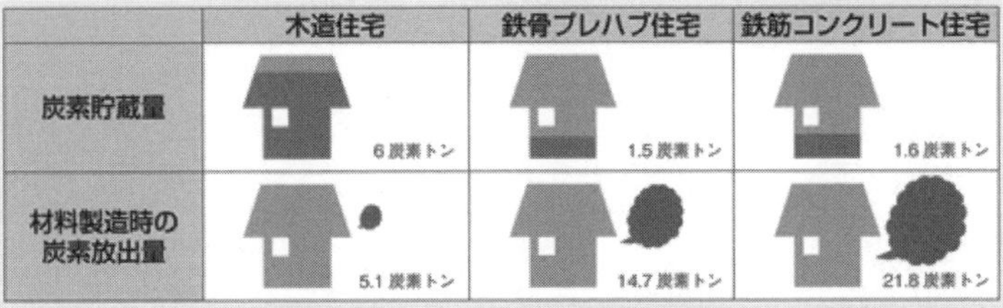

	木造住宅	鉄骨プレハブ住宅	鉄筋コンクリート住宅
炭素貯蔵量	6 炭素トン	1.5 炭素トン	1.6 炭素トン
材料製造時の炭素放出量	5.1 炭素トン	14.7 炭素トン	21.8 炭素トン

資料：大熊幹章（2003）地球環境保全と木材利用、全国林業改良普及協会：54.、岡崎泰男、大熊幹章（1998）木材工業、Vol.53-No.4: 161-163.

図6.4-3　住宅１戸当たりの炭素貯蔵量と材料製造時のCO_2発生量 [43]

③バイオマス発電の仕組みと特徴

　ここからは、木質バイオマス・エネルギー利用の代表例として、バイオマス発電システムについて見てゆきます。

　バイオマス発電は表6.4-1のように、その特徴が他の自然エネルギーと比べて大きく違っています。その主なものは、下記の２点です。
・燃料を人為的・継続的に供給する必要があり、燃料費がかかる
　　他の自然エネルギーが燃料費（限界費用）ゼロであるのに

対して、燃料費がかかり（発電コストの半分以上）、化石燃料等のエネルギー源とコスト競争をしなければならない。そのため、**長期的に低廉で安定した燃料調達が発電事業運営の課題**となります。

・燃料供給量が人為的にコントロールできる

　　需要に応じてフレキシブルに発電量を決めることができ、計画的な発電が見込めます。例えば、需給がタイトで電気代が高い時に稼働率を上げて発電することもできます。

表6.4-1　自然エネルギー発電の燃料供給における特徴の比較

発電の種別	エネルギー変換	変換効率（％）	燃料等の供給	補足
風力	力学⇒電気	20～40	・**無償で供給** ・**変動性**、時間・天候・季節に大きく依存	初期投資大だが、運転（限界）費用は少ない
太陽光	光（電磁波）⇒電気	～15		
水力	力学⇒電気	～70	ダム貯蔵により無償かつある程度定常的または計画的に供給	**発電量の季節変化への対策**も必要
地熱	熱⇒力学⇒電気	（条件によって大きく異なる）	**無償かつ定常的に供給**	
バイオマス（主に木質系）	化学⇒熱⇒力学⇒電気	**熱利用なし：20～30** **熱利用あり：～80**	・**人手による継続的な供給、燃料費が必要** ・**燃料供給のサプライチェーンが重要**	燃料貯蔵も可能で、年間通しの需給調整能力が高い

（注）風力および太陽光発電の効率は、エネルギーを集めて変換するプロセスが他と大きく異なるため、相互に比較する場合には注意が必要です。

ここではまず、バイオマス発電の仕組みなどの技術的なポイントをレビューし、その後でより本質的な問題である燃料調達や木材産業とのつながりを掘り下げてゆきます。

　バイオマス発電システムは、バイオマス燃料を燃やすボイラーと、発生した蒸気や燃焼ガスによって駆動されるタービン・発電機から構成されます。燃料の処理方法によって大きく二つに分けられます。すなわち、バイオマス燃料をそのまま燃焼させる方法【直接燃焼方式】と、一度高温状態で熱分解して可燃性ガスを作り出す方法【熱分解ガス化方式】です。前者では、さらに発電機タービンの作動流体として水蒸気を選ぶか、より沸点の低いシリコンオイルなどの有機媒体を選ぶかによって分けられ、現在実用化されている木質バイオマスの発電システムとしては主に次の3種類があります。
【直接燃焼方式】
・蒸気タービンシステム
・ORC（オーガニック・ランキン・サイクル）システム
【熱分解ガス化方式】
・ガス化システム

　各発電システムの特徴と規模に対する発電効率の傾向を表6.4-2と図6.4-4に示します。表6.4-2では、推奨されるモデルプラントでの木質燃料の年間使用量、発生する熱エネルギーの量などを合わせて示しています。比較的小規模なこれらの施設でも、放熱量はかなり大きくなることがわかります。ちなみに、蒸気

タービンの放熱量6300kWは、標準的な家庭の約6000件分の使用量（年間平均ですが、当然冬季に圧倒的に多くなります）に相当します。

表6.4-2　代表的なバイオマス発電方式とその特徴

発電システム	システム概要	技術的特徴	モデルプラントの仕様
蒸気タービン	ボイラーでの燃焼により高温高圧の水蒸気を発生して、タービンを回転させる	・火力発電で運転実績が豊富で、技術的信頼性が高い ・**蒸気タービンを大型化することで、高効率・低コスト化を実現** ・長期の連続運転が可能	・発電出力1600kW ・木質チップ（水分50％）45000 t／年消費 ・燃料コストの割合　70％ ・蒸気放熱量6300kW
ORC（オーガニック・ランキン・サイクル）	ボイラーで加熱されたサーマルオイル（310℃）がシリコンオイルと熱交換し、発生したシリコンオイル蒸気によりタービンを回転させる	・**小規模でも比較的高い発電効率** ・ボイラー仕様によっては、高含水率の種々の木質燃料に対応可能 ・低負荷運転に強く、出力変化の幅が広い	・発電出力1000kW ・木質チップ、バーク、枝葉など17800 t／年消費 ・燃料コスト割合55％ ・温水放熱量4100kW
ガス化	木材を熱分解、還元反応によりガス化し、そのガスを燃料等としてエンジン等を駆動する	・**小規模でも高い発電効率** ・炉内に機械可動部分が少なく、トラブルも比較的少ない ・シンプルな設備構成で、設置面積が小さい	・発電出力165kW ・木質ペレット871 t／年、乾燥チップなどの高品質燃料が必要 ・燃料コスト割合58％ ・温水放熱量260kW

（注）文献[44]の内容を編集。モデルプラントではガス化システムの発電効率が高いため、kW当たりの放熱量も小さいことがわかる。

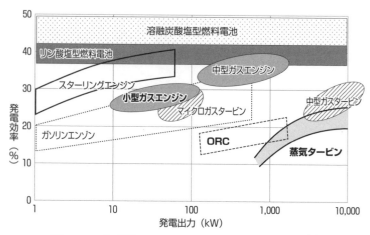

図6.4-4　発電技術による出力と発電効率の関係 [45]

これらの資料で注目すべき点は以下の通りです。

・**発電能力の大きいシステム**（概ね1000〜2000kW以上）**では主に蒸気タービンシステムが選ばれることになります。**このシステムではスケール効果が強く現れるため、**発電出力の大きいシステムの発電効率が高く、採算性の面でも有利**になります。したがって、発電事業者は燃料供給量が許す限り、できるだけ大きな設備を設置しようと計画します。後にも述べますが、国産バイオマス燃料の供給量に制約があるため海外から燃料を調達したり、既存の石炭火力発電所を流用してバイオマス燃料を「混焼」の形で使うことが多くなります。

・**より小規模な設備では、ORCやガス化システムの発電効率が高く、導入メリットがあります。**これらは小規模分散型の

システムとして、最近欧州諸国を中心に製品開発が行われています。我が国ではこれまで木質バイオマスを利用するニーズが少なかったため、発電システムが提供できる国内メーカーは限られており、基本技術（パテント）も欧州に依存する場合が多いようです。

・ **排熱を有効活用できるかがバイオマス発電（特に小規模のもの）の事業性の鍵**です。

　表6.4-2のモデルプラントのように、熱として利用できるエネルギーの方が電力エネルギーよりもずっと大きくなっていて、蒸気タービンやORCではその傾向が強くなっています。最新の大規模火力発電所では熱損失を減らすために蒸気タービンとガスタービンを組み合わせた複合発電が採用されていて、発電効率も60％前後に達しています。しかし、バイオマス発電のように、より小規模なシステムではこのような複雑なシステム構成にすることは難しく、むしろ熱としてエネルギー利用する熱電併給（コジェネレーション）システムを採用することで最大80％前後までの高い総合効率を得ることができます。

　製紙工場などのように熱を有効に利用できる施設に発電所を併設するような例を除けば、規模の大きいバイオマス発電所で大量の熱を年間通して利用するのはなかなか難しいというのが実情です。ましてや木材の供給地に近い遠隔地では熱の大口需要家を探すのは大変です。**地産地消型の分散型電源としてバイオマス発電を考える場合には、地元の熱需要を取り込んで、小規模のシステムを採用するのが望ましいと言わ**

れます。

　ドイツや北欧諸国などでは、熱エネルギーの有効利用を考えて、できるだけ小型のバイオマス発電設備の設置を促すように政策誘導しています（注1）。これには熱導管などの地域熱供給施設が整備されていて、熱エネルギーを地元で利用する（地産地消）のに適した社会インフラが整備されている事情もあります。

　一方、我が国でも、2015年度より出力が2000kW未満の設備についてFITの買取価格を高く設定していますが、熱の利用は思うように進んでいないようです（注2）。

（注1）ドイツのFITでは出力規模が小さいほどバイオマス発電の買取
　　　　価格を高く設定し、さらに熱電併給を行っている施設にはボーナス
　　　　価格（2012年以降はなし）を設定していました。
（注2）いにしえより私たちの暖房に対する考え方は火鉢、こたつ、さ
　　　　らにはたきびなどの「採暖」であって、西洋のように暖炉で部屋全
　　　　体を暖めるという考え方があまりなかったという見方もあります。

④木質バイオマス燃料について

　発電システムから上流行程に遡って、燃料の木質バイオマスの調達について考えます。

（ⅰ）木質バイオマス燃料の種類と利用方法

　木質バイオマスにも木くずなどの残廃物、森林から伐出された原木、さらには木材を燃料用に前処理した薪（まき）、チップ、ペレ

ットまでいろいろな形態が考えられます。異物の混入や水分含有量などで品質に違いがあり、それによって利用される設備が制約を受けます。図6.4-5のように、ガス化システムではこの品質に対する要求が最も厳しく、燃料は高コスト（注）となります。また、一般的なバイオマス発電では、燃料のベルトコンベアなどでの自動補給が必要になりますから、取り扱い性に優れたチップまたはペレットが選択されることになります。

（注）図6.4-6にオーストリアにおけるチップ、ペレットの燃料価格の推移を示します。いずれも化石燃料より安価で、ペレットはチップよりも高価です。我が国ではまだ供給量が少ないため、信頼性のあるデータは得られていませんが、欧米諸国よりは割高であることが予想されます。

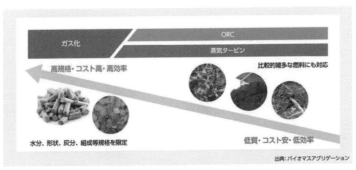

図6.4-5　小規模バイオマス発電の燃料要件[44]

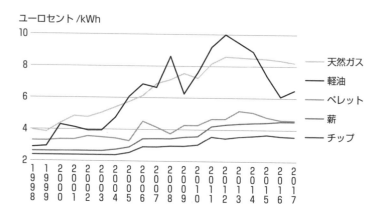

図6.4-6 発電量当たりの燃料価格の推移(ユーロセント/kWh) [46]

　この木質バイオマス燃料の品質は、エネルギー密度(体積当たりの発熱量)(注1)と関係し、原木をどの段階(または場所)で前処理するのが経済的か、または、どの程度の遠隔消費地までの輸送経費を賄えるかという燃料の調達方針に大きく関わってきます。木材のエネルギー利用は次項のマテリアル利用よりも材料としての価値が低いため、薪や木材チップの経済的に成立する輸送距離は比較的短く(注2)、ペレットのような高品質の燃料形態になると、輸出入のように海外から調達する可能性が出てきます。

(注1) 表6.4-5参照。
(注2) 原木供給地から消費地までの経済的な輸送距離は概ね100km以内、
　　　理想は50km以内と言われています。

（ⅱ）マテリアル利用との関係

　木材をエネルギー源として利用する理想的な姿は製材所で発生する端材やおがくず、あるいは間伐材や株、枝、曲がり材などの林地残材のように他では利用価値のない材料を使うことです。これは木材のカスケード利用とも言われ、図6.4-7がその典型的な例を示しています。

　木材が原木丸太から出発して、まず建築資材などのマテリアルとして利用されて、ボードや紙などの利用を経て、最終段階で熱利用にまで至る様子を表しています。左から右側に進むにつれて、次第に木材のおいしい部分が抜き取られて、木材そのものの価値は低くなります。しかし、熱利用の段階では端材または廃材となっていても姿形はあまり問題になりませんので、このフローの中で安価な木質燃料が継続的に供給されることになります。

　このように**木材のエネルギー利用は、「カスケード利用」の最終段階として、利用価値が低くなった廃材、樹皮や枝葉などを使い尽くすこと**が肝になります。これが経済的にも低コストで、最も優れた方法です。したがって、木質バイオマス燃料が経済的かつ安定的に供給されるためには、**木材生産から始まって、製材・加工を経て、住宅建設などの最終需要に至るまで、全体のサプライチェーンが効率的に機能している**必要があります。そしてバイオマス・エネルギー利用と燃料の供給を拡大するためには、このフロー全体を太くすることが基本になります。

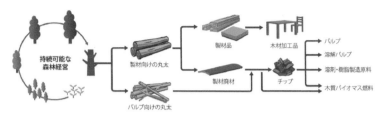

図6.4-7　森林資源のカスケード利用の例 [47]

⑤持続可能な森林経営へ

　持続可能な環境を維持し、木質バイオマスエネルギー利用の拡大を図るためには、まず林業が健全で持続可能な状態で営まれていることが大事です。そこで、出発点である我が国林業の現状を、関連するデータに基づいて概観します。

（ⅰ）国内の森林資源の概況

　関連するデータから、我が国林業の概況を把握します。

・森林面積：約2500万ha（国土面積に対する割合2/3は、先進国ではスウェーデン、フィンランドについで３番目）、うち人工林約1000万ha（杉、檜、松が約８割）。

・森林の総蓄積量（注）：約50億㎥、木材の毎年の成長量は約7000万㎥で国内需要量とほぼ同等。

・人工林は齢級構成で半数以上が10齢級（50年生）以上で、一般的な主伐（本来の木材としての利用を目的とした伐採）期が到来している（図6.4-8）。

・人工林としては年間に**森林生長量約6000万㎥が生産可能**と言われるが、**最近の生産量約2000万㎥/年は需要量約7000万㎥/年に比べて低い**。ほかに間伐などで林地残材が毎年2000

94

万㎥ほど発生してほとんど放置されている。蓄積量に対する伐採量の割合も諸外国に比べると、かなり低い（図6.4-9）。

（注）重量トンで表す場合もありますが、乾燥状態によって変化して紛らわしいため、ここでは体積で表示します。

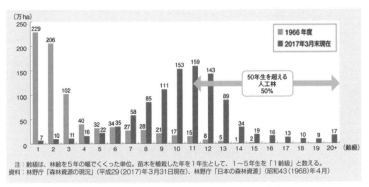

注：齢級は、林齢を5年の幅でくくった単位。苗木を植栽した年を1年生として、1～5年生を「1齢級」と数える。
資料：林野庁「森林資源の現況」（平成29（2017）年3月31日現在）、林野庁「日本の森林資源」（昭和43（1968）年4月）

図6.4-8　人工林の齢級構成の推移[48]

（注）齢級：林齢5カ年を一括りにして、林齢1～5年生を1齢級などと称する。戦後の植林による増加が著しいことがわかります。

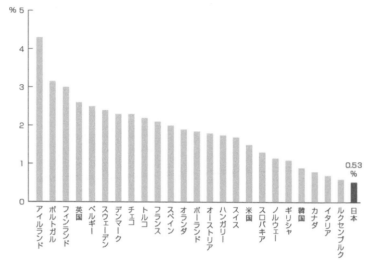

図6.4-9　自国の森林資源蓄積量に対する年間伐採量の割合[(49)]

　以上は品質面を全く考慮していないマクロな数量ですが、せっかくの森林資源があまり活用されていない状況がわかります。今後、成長期を過ぎた人工林はCO_2吸収能力の低下にもつながるため、適宜更新してゆくことが望まれます。

（ii）国全体の木材の需給バランス

　図6.4-10は、木材供給量の内訳と木材自給率の推移を示しています。1950年代までは100％近くの自給率でしたが、1970年代の高度成長期以降は30％以下まで大きく低下し、最近は少し回復傾向にあるものの、30％超で推移しています。我が国は諸外国からの木材輸入に大きく依存するようになっています。

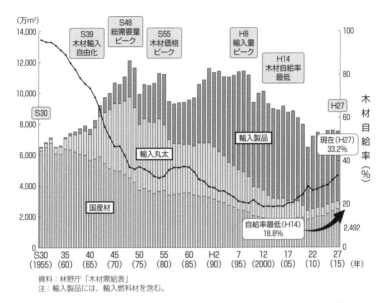

資料：林野庁「木材需給表」
注：輸入製品には、輸入燃料材を含む。

図6.4-10　日本の木材供給量の内訳と木材自給率の推移[(50)]

　その主な輸入先は東南アジア、北米、極東ロシアで、それぞれ南洋材、米材、北洋材と呼ばれています。特に、高度成長に始まる輸入拡大期には南洋材が注目され、図6.4-11、図6.4-12のように東南アジア諸国からの原木（丸太材）が主な供給源となりました（注）。輸入先は1970年頃まではフィリピンが中心で、その後はインドネシア、マレーシアに向かっています。

（注）丸太輸入量のピークは1973年の5249万㎥で、その約半分は南洋材でした。近年はこれらの東南アジア諸国も熱帯雨林などの環境保護のために、違法伐採対策などにより伐採量を制限しています。最近は我が国の木材輸入先は欧州、南米、豪州など全世界に拡がり、南洋材の比率は全体の9.3％（2014年）まで低下しています。

木材を切り出すためにこれらの地域の熱帯雨林で大面積の皆伐が行われて、我が国の木材輸入が増加する時期は、上巻・図2.2-1で見たように世界のCO_2吸収能力が低下（「土地利用変化」が増加）する時期とも重なります。これらの天然林は一度切り開くと、再生するのが難しく、森林資源に恵まれた我が国が熱帯雨林の破壊につながる木材輸入に頼っている状況に対しては、環境NGOなどから非難の声が上がっています。ジャレド・ダイアモンドは著書[42]において、「日本の木製品輸入が第三世界の熱帯雨林破壊の最大要因となっている」と記しています。

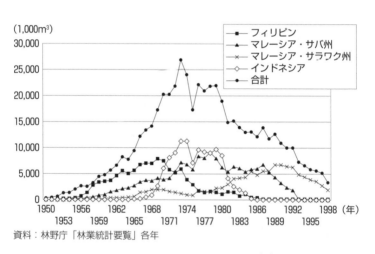

資料：林野庁「林業統計要覧」各年

図6.4-11　日本の南洋材輸入 [51]

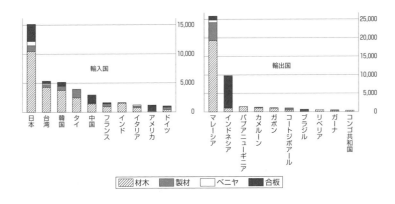

図6.4-12　熱帯木材輸入国・輸出国トップ10（1991年、単位1000㎥）⁽⁵²⁾

さらに、木材の需給内容を詳しく調べてみると、我が国林業の構造的な問題点が浮き彫りになります（図6.4-13、表6.4-3）。

最近やや回復しつつある木材の国産化率ですが、なかなか伸ばしにくいのは、国内で生産可能な樹種が杉・檜・松といった針葉樹に限定されており、建築用材以外の用途では活用が難しいという事情もあるようです。戦後国が中心となって推進された「拡大造林政策」が、高度成長期のピーク需要に未成熟なためほとんど対応できずに、現在の“過剰在庫”に至っているという状況は50年の長期スパンを見通す難しさを表しています。

ここで考えなければいけないのは、これらの針葉樹が利用される建築用材の現在の主な競争相手は北米、欧州といった賃金水準が高く、ほとんど地球の裏側から運んでくるというハンディを背負った先進国であるということです。今後国産材を拡大

するチャンスがあるように思われますが、これはまた我が国の木材産業の技術革新や生産性改善が遅れているという内部の問題が大きいことを示唆しています。

　さらにバイオマス・エネルギー利用拡大の観点から、図6.4-13、表6.4-3を注視すると、下記の点が明らかとなります。

　製材工程での丸太木材の歩留まり率は高々40％程度で、大部分は端材として処理されます。最近は木材輸出国の産業政策などもあり、木材のほとんどが製材工程を終えた「製品」として輸入されますので、国内に端材が残る割合は少なくなります。国産材についても、上記のカスケード利用に従って、製材用材→合板用材→パルプ・チップ用材と端材が活用されると、エネルギー利用に回ってくるのは全体の一部です。やはり、できるだけ**輸入材を国産材に置き換えて（木材の自給率を上げて）、原木からの木材流通のフローを太くするのが低コストな国産バイオマス・エネルギー資源を増やす鍵**となります。

　政府の「森林・林業基本計画（平成28年5月）」では、2025年に国産材の利用量を何とか4000万㎥/年（国産化率：現状33％⇒50％）に引き上げることを目標としています。

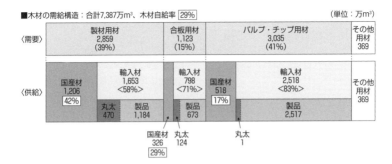

■木材の需給構造：合計7,387万m³、木材自給率 29%　　　　　　　　　　　（単位：万m³）

図6.4-13　木材の需給構造（2013年）(53)

表6.4-3　我が国の木材の需給内訳（2014年）

用途	割合	国産率	主な用途	主な輸入先	内容
製材（柱・板等）	39%	**42%**	・建築用が８割以上（主に住宅用） ・家具、ワイン樽等（高級広葉樹）	北米 欧州	国産材を伸ばす可能性あり
パルプ・チップ	41%	17%	製紙（洋紙）原料が大半	豪州 チリ	・主使用はユーカリ／アカシア等の早生広葉樹で、針葉樹中心の国産材は対抗困難（注） ・従使用の針葉樹は工場残材等で既に７割は国産
合板（ベニヤ板等）	15%	29%	・各種構造用 ・コンクリート型枠	マレーシア、インドネシア	・構造用は９割以上が国産 ・型枠用は国産針葉樹ではコンクリート成型時に歪みが生じる
その他	5 %				

（注）洋紙は広葉樹：針葉樹＝７：３の配合割合が望ましいと言われる

（iii）木材自給率低下の要因

木材の自給率が1960年代以降に急激に低下し現在も低迷しているのにはいくつかの要因が挙げられていて、それらは現在にまで通じる我が国の林業が直面する課題でもあります。例えば、木材の輸入自由化などの林業政策、森林組合などの林業経営を支える仕組み、市場のニーズに合わない供給側の古い体質と旧態依然とした流通システム（木材搬出、販売体制）、林道の整備と機械化の遅れ、それらを担う人材の教育・育成の問題などが挙げられています。

結果として林業就業者が激減し（約44万人：1960年⇒約5万人：2005年）、技術の伝承も難しくなっています。これらが相まって林産業の生産性低下につながり（注）、これまでに蓄積された森林資源（主に針葉樹）の有効活用を妨げています。

（注）木材の生産コストは次のように大きな開きがあります。北海道20千円/㎥、スウェーデン3.4千円/㎥（「木質バイオマスのコスト低減」〔浅田龍造〕による）、オーストリア（天然更新）2.6千円/㎥（中国木材㈱による）

また、森林の健全な維持には成長量の6～8割を定期的に伐採する必要があると言われています。最近の我が国の森林でのCO_2吸収量は図6.4-14のように2005年のピーク時からは約1/3も低下しています。その主な原因は戦後植林された人工林が成熟化して、吸収能力が落ちてきているためです。定期的な間伐、時宜を得た更新などの維持管理が必要とされています。

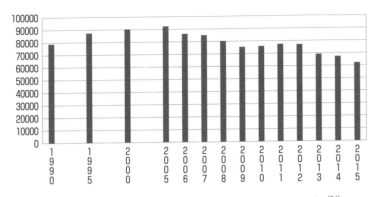

図6.4-14　日本の森林CO$_2$吸収量の推移（千トンCO$_2$）[54]

　以上が私たちがあまり接することのない我が国林業の現状についてのアウトラインです。バイオマス・エネルギー利用に至るまでに、国内に豊富にある森林資源をどのように活用するか、そのための産業を育ててゆくにはどうすれば良いかなどの課題が横たわっています。

⑥バイオマス発電の開発状況と燃料調達

　最近のバイオマス・エネルギー利用は、主に固定価格買取制度（FIT）に則ってバイオマス発電の開発が進められています。FITではバイオマス燃料の種類と性質により、表6.4-4のように発電した電気の買取価格が細かく取り決められています。この中で、３項および５項については既にほとんど開発済みで（図6.4-1参照）、利用増加が見込める木質バイオマス関連は１項の「未利用材」と２項の「一般木材等」になります。特に、植林されたままで荒れ放題になっていることが多い人工林の間伐を進めて森林整備を図り、合わせてエネルギー利用に結びつけようと

の政府の意図もあって、1項の買取価格が高く設定されています。

表6.4-4　固定価格買取制度（FIT)におけるバイオマス発電の
区分概要（20年間買取価格）

No.	区分	内容	買取価格（kWh当たり）	2030年政府目標（注3）
1	間伐材等由来の木質バイオマス(注1)	間伐材、主伐材	・32円（2000kW以上） ・40円（2000kW未満）	24万kW
2	一般木質バイオマス等（注1）	製材端材、輸入材、剪定材、PKS、農作物残渣	・入札（1万kW以上） ・24円（1万kW未満）	274 ～ 400万kW
3	建設資材廃棄物		13円	37万kW
4	メタン発酵ガス	家畜糞尿、食品残渣、下水汚泥由来のバイオガス	39円	16万kW
5	一般廃棄物等	剪定材・木くず、紙、食品残渣、廃食用油、黒液	17円	124万kW
6	RPS（注2）			127万kW
	合計			602 ～ 728万kW（394 ～ 490億kWh）

（注）1．伐採届等によるトレーサビリティ確認が必要。他に種類によっては、森林経営計画の策定や森林組合などの証明書発行などの詳細な要件が規定されている。

　　　2．大手電力会社に発電量のうちの一定量を再エネ由来にするように求めたRPS法に基づくもので、FITの対象外です。

　　　3．パリ協定に対応した政府目標算定の基礎データで、「長期エネ

ルギー需要見通し」による。

　図6.4-15が最近のバイオマス発電設備のFITでの認定量です。
ことに、2016年４月以降１年半の設備認定量の増加が著しく、
2030年の政府導入目標値（ミックス水準、表6.4-4参照）もはる
かに超えて、"バイオマスバブル"とも言われる状況が生じてい
ます。内訳で見ると、「一般木材等」が増加量の大部分を占め
ていて、これも2030年目標と比べると約３倍という異常な増え
方です。

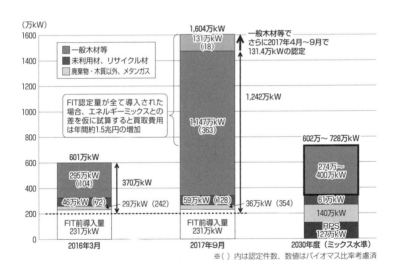

図6.4-15　バイオマス発電のFIT認定量（2017年９月現在）[55]
（注）2017年以降、パーム油/PKSに対する持続可能性基準の導入などに
　　　より多くの計画が中止になり、現在のFIT認定量はかなり減ってい
　　　ますが、それでも2030年目標の２倍程度の計画があります。

前述のように国内での木材の供給量が増えない限り、基本的には活用できるバイオマス資源量は変わらないはずです。発電事業者の立場からすると、事業の採算性を確保するため、何とか発電規模を拡大して効率を上げたいところです。そのためにできるだけ発電所近傍の集荷範囲でたくさんの燃料用木材を集めたいのですが、集められる資源量はかなり限られています。したがって、燃料用木材の奪い合いや囲い込みが発生して、価格が高騰することが懸念されます。

　図6.4-16は、これらのバイオマス発電所の位置（含む計画）を地図上に表示したものです。発電設備の規模に応じて○印の大きさを変えてありますが、ちょうど木材の集荷する範囲に相当すると考えるとわかりやすいでしょう。

　標準的な条件では5000kWの木質バイオマス発電設備では年間に少なくとも約6万トン（15万㎥）の木材が必要で、経済的に見合う集荷範囲は半径50km（概ね一つの県の範囲）とされています。その前提で図6.4-16を見直すと、各発電所の集荷範囲が何重にも重なって、日本列島を覆っている（つまり大幅に燃料不足）状態が供給元を国内に限った場合の発電燃料用木材の需給状況です。

出力規模
20,000(kW)以上
15,000
7,000
2,000
500以下

稼働状況
■ 稼働中
■ 着工中・着工予定
■ 構想段階

図6.4-16　木質バイオマス発電所一覧（2019年11月末現在）[56]
（注）巻頭のカラー図を参照してください。

　図6.4-17と図6.4-18はそれぞれ、概ね図6.4-15の左側と真ん中の状態に対応する木質バイオマス燃料供給の内訳を示します。前者（2016年初め）では輸入燃料（PKS）が1/3程度あるものの、その他はほとんど国産です。これに対して、後者が2017年９月までに認定された設備計画に基づいて使用燃料の内訳を分類したものです。ここでは、ほとんどの設備についてPKSだけ

ではなくパーム油までもが燃料として使用が予定されています。
具体的には、パーム油やPKSを全く使わないもの（濃いアミ掛け
の部分）が件数では全体の14%、発電出力では20%しかありま
せん。

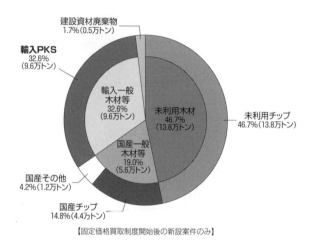

【固定価格買取制度開始後の新設案件のみ】

図6.4-17　木質バイオマス発電の燃料使用内訳（実稼働データ）[57]

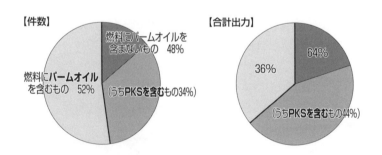

（注）：バイオマス比率90%以上
※数値はバイオマス比率考慮済

図6.4-18　木質バイオマス発電の燃料内訳（FIT認定設備）[55]

　ここで、あまり聞き慣れないPKSについて説明します。

　PKS（Palm Kernel Shell）とはパーム椰子（アブラヤシ）の種からパーム油を搾り取った後の残り殻となったものです（図6.4-19）。**パーム油**は食用や食品加工用の油、洗剤、化粧品などの原料として私たちの日常生活で広範に使われており、近年その需要は世界的に拡大しています。世界の消費量の約85％がインドネシアとマレーシアの**熱帯雨林を伐採して切り開かれた広大なプランテーションで大規模生産**されています（注）。最近は日本をはじめとしてパーム油の需要拡大により価格が上昇していますが、発熱量が高くて水分含有量も少ないPKSは、表6.4-5のように燃料としても木質ペレットなどに対してコスト競争力があるのがわかります。

（注）WWFジャパンがホームページで、スマトラ島でのパーム油の大規模栽培による熱帯雨林の破壊を警告しています。

図6.4-19　PKS（パーム椰子殻）について [58] [59]

表6.4-5　木質バイオマス燃料の比較

燃料の種類	発熱量（MJ/L）	コスト（円/GJ）
木質チップ	1.9 〜 2.6	765
木質ペレット	9.3 〜 11.6	1209
PKS	9.4 〜 11.3	794
（参考）A 重油	38.9	1658

（注）MJ（メガジュール）＝10^6J、GJ（ギガジュール）＝10^9J。木質バ
　　イオマスの発熱量は低位発熱量（水分の蒸発潜熱を差し引いたもの）、
　　コストは「調達価格等算定委員会（第32回）」の配布資料から。A重
　　油（産業用）のコストは平成29年11月分の全国平均価格。

つまり、この時の"バイオマスバブル"の正体は、多少の時間

的なズレを伴って、**木質チップ（主に国産）⇒木質ペレット（輸入）⇒PKS・パーム油（東南アジア）**というようにバイオマス燃料を求めて、バイヤーが世界を駆け巡っている様子と二重写しになってきます（注）。このように、FIT制度により、いきなり各種のバイオマス発電及び燃料に高い経済的価値を与えたことによってひずみが生じています。これは最初に述べたバイオマス・エネルギー利用の本来あるべき姿とは大きくかけ離れています。

（注）最近の５万kW以上のバイオマス発電所新設計画のほとんどで、燃料としてPKSと木質ペレット（輸入品）を予定しています。そのため木質ペレットの輸入量も最近数年間で大幅に増加しています。

ちなみに、表6.4-4の「一般木質バイオマス等」の2030年目標をPKSですべて賄うとすれば、年間に2000〜3000万トン程度が必要です（注１）。インドネシアとマレーシアの年間生産量がそれぞれ、750万トン、550万トンですから、これらを合わせた約２倍の量に相当します。我が国のバイオマス燃料供給だけのために、熱帯雨林を切り開いてプランテーションを行う必要に迫られます（以上バイオマス・ジャパンによる）。さらにパーム油をエネルギー利用することになると食料などとの競合の問題も出てきます（注２）。

これはあくまでも、一時的な事象であるかもしれませんが、経済がグローバル化する中で、上記（図6.4-11、-12）のように、かつての轍を踏むことを繰り返すことになりかねません。地球

温暖化対策として実施しているはずの政策や行動が、実は熱帯雨林の破壊とCO_2排出を助長しているなどということのないように私たち消費者も注意しなければいけないことです。

（注1）木質ペレットですべて賄うとした場合にも同程度の量が必要ですが、世界の年間木質ペレット消費量は2200〜2500万トン（2014年）、日本の生産量12万トン（2016年）です。

（注2）バイオマス発電などを賄うFIT賦課金は、電気代を通して一般消費者が負担しています。国民がCO_2排出削減対策として支出した費用が、燃料代として国外に流出するのは問題という議論もあり、最近はPKS等による発電はFIT対象から除かれる方向にあります。

　バイオマス・エネルギー利用の極意は、他で利用済み、または利用しきれないエネルギーをうまく吸い上げて使い尽くすことにあります。国内の**資源循環型の木質バイオマス利用では、バイオマス発電で生み出すことができるのは全発電量の高々5％（470億kWh）程度**です（注）。

（注）本項冒頭の（注2）より、年間の木材成長量をすべて発電に投入した場合には135億kWh×7000万㎥/2000万㎥＝470億kWh（年間発電量の4.7％）。

　バイオマス・エネルギーを活用することだけでなくて、さらに重要なのは私たちが空気中に放出したCO_2を固定化してくれる森林などの機能にあります。その能力を健全な状態に保ち、持続可能な資源循環型の社会を目指すことが肝要です。そのために、新たな木材ニーズに対応した新技術（注）の活用を含め

て、長期的に林業の再生が図られることを期待したいと思います。

（注）国産材を活用した高強度な積層材CLT（直行集成板）の規格化や
　　　CNF（セルロースナノファイバ、第Ⅶ章6項参照）の研究開発が進
　　　められています。

　図6.4-20は少し古いデータですが、国別の木材輸出入量です。
意外と思われるかもしれませんが、木材輸出が多いのはいずれ
も欧米先進国です（注1）。米国、カナダは別格としても、上
位に並んでいるのは我が国と同じような国土面積の欧州諸国で、
いずれも生活水準（1人当たりGDP）が高い国々です。製材
された製品は極東の日本にまで輸出を伸ばしています。むしろ、
先進国の中で我が国のように木材自給率の低い国は特異です。

　林業や木材産業は産業高度化とは無縁というような誤った見
方を払拭して、欧州諸国が乗り越えてきたこの分野での技術革
新を参考にする必要があります（注2）。

（注1）最近のデータを見ても、概ね傾向は変わっていません。
（注2）欧州諸国では1990年頃から炭素税が導入され、その中から森林
　　　整備などに費用が振り向けられたものと思われます。最近我が国で
　　　も森林環境税を導入するという動きが出てきています。

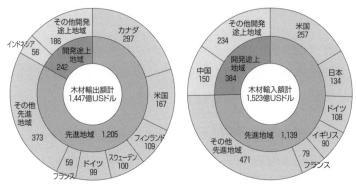

（単位：億USドル）

資料：FAO「FAOSTAT」（2001年12月19日最終更新で2002年2月現在で有効なもの）
注：1）木材輸出入額の木材とは、丸太、チップ、残材、製材、合板、単板、パーティクルボード、
ファイバーボード、パルプ、紙・板紙である。
2）内訳の計と総計が一致しないのは四捨五入によるものである。

図6.4-20　世界の木材輸出額および輸入額（2000年）[(60)]

ここで、クイズを考えてみてください。

【クイズ⑩】

日本人が１人当たり排出している年間のCO_2排出量を吸収し
てくれる木材の量はどのくらいか推定してください。

【答え】

上巻のクイズ①のように、日本人１人当たりの年間CO_2排出
量は約10トンです。これはおおよそ、大木１本が長い時間をか
けて光合成により、空気中のCO_2を取り込んで固定化した量に
相当します。

例えば、樹径１m、高さ20mの樹木が吸収したCO_2量を概算
すると、

（断面積）0.785㎡×20m×（比重）0.5×（炭素割合）0.5×（炭素質量比）44/12≒14トン

　現在の我が国のCO₂排出ペースは1人1人が毎年、苗木を植えて、一生の間に大木に育て上げても少し足りないくらいです。

⑦都市近郊林の再生へ

　文献[61]によると、木質バイオマスの供給源はさらに以下の5種に分類されるとのことです。

　㈠廃材：建築解体材、廃パレットなど廃棄物として出てくるもの

　㈡工場残材：木材加工場から出てくる木くず類

　㈢林地残材：森林伐採に伴って発生する小径丸太、梢端、枝条など

　㈣補完伐採：成長量の範囲内で森林からの木材の収穫

　㈤**短伐期植林木**：成長の早いエネルギー樹木（早生樹）を植栽して短い伐期で収穫

　さらに、次のような記述があります。

「木材のエネルギー価値が上昇するとともに、使われるバイオマスの範囲がこの順番で広がってゆく。現状では㈠廃材や㈡工場残材がほぼ使い尽くされて、㈢の林地残材に移ってきている。ポテンシャルの大きいのは㈣で、やみくもに伐るのではなくて、手入れの遅れた人工林の除間伐、伸び放題になっている天然生林の整理伐、景観維持のための伐り透かしのような形をとる。木材生産の保続が保証されるなら、**コナラやクヌギの広葉樹を15〜20年の伐期で皆伐して萌芽更新するような往事の薪炭林**

施業もあり得る。㈤のエネルギー植林は欧州の一部の諸国ですでに始まっているが、補間伐採の余地の大きい我が国ではもう少し先になりそうである」（以上、一部原文を書き換えています）

　つまり、㈠〜㈢だけではバイオマス資源量が限られるため、これからは㈣、㈤にも手を拡げてゆく必要があるとのことです。木材の成長にはかなりの時間を要するので、今からでも計画的に、㈢はもちろん、並行して㈣や㈤のような木材エネルギーの利用法を考えてゆくべきと受け止められます。それによって、CO_2吸収源を増やすだけでなく、環境保全にもつながることが期待されます。

　図6.4-21は、ある大都市近郊の道路脇の眺めです。ご覧のようにほとんど山一面が竹林で覆われています。最近このような光景があちこちで目につくようになってきました。

図6.4-21　荒れる都市近郊林

　竹林は西日本を中心として繁茂しつつあり、図6.4-22のように最近20〜30年で約1割増えているという林野庁の調査結果があります。地域によって繁茂の様子は変わってきますが、筆者の身近なところではむしろ図6.4-23のように何倍にも増えているというのが実感です。樹種としてはこれらの竹林のほとんどが真竹または孟宗竹です。後者は名前でもわかるように江戸時代に入ってきた中国原産ですから、ほとんどが農業用資材や工芸品の素材などとして活用するために人手で植え付けられたものです。つまり、私たちの生活圏に近い所でこのような光景が広がっているため、とても目に付くように感じられます。

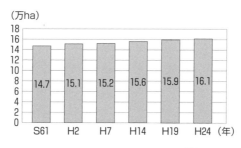

（万ha）

図6.4-22　全国の竹林面積 [62]

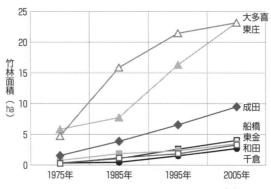

図6.4-23　千葉県・竹林面積の推移[63]

　今問題となっているのは、このような放置竹林が以前は薪炭
林や農用林として活用されていたコナラ、クヌギなどの広葉樹
林に侵入し、もともとあった森林の生態系サービス機能を低下
させていることです。木材の消費地にも近く交通の便も良くて、
人里離れた奥地林のように路網を整備することから始めなけれ
ばならないのと比べると、はるかに地理的条件が恵まれた山林
です。ある意味で、これが我が国の林業の衰退を象徴している
ように思えます。

　地方の人口減少や高齢化によって、私たちの生活圏に一番近
い「里山」（注）である山林の荒廃が全国に広がっています。
かつては生産活動のみならず、近隣住民の野外活動などで里山
などとの交流がもっとあったのでしょうが、今は荒れ放題にな
っているところが多いようです。

（注）里山とは：人里近くにある、生活に結びついた山や森林。適度に
　　人の手が入ることで生態系のつりあいがとれている地域を指し、山

林に隣接する農地と集落を含めていうこともある。(デジタル大辞泉)

　以下では筆者のパートナーが、"里山ラボ"として行っている地域の森林保全とバイオマス・エネルギー利用活動の一端を紹介します。

　この"里山ラボ"ですが、林野庁が適切な森林整備や計画的な森林資源の利用のために、地域住民等による森林の手入れ等の共同活動への支援を行う「森林・山林多面的機能発揮対策」の一環として行っているものです。具体的には、地域の関係者で以下のような活動を行っています。
・集落周辺の里山林を維持・整備するため、高密に侵入した孟宗竹や雑草木の伐採・除去
・事業の円滑な実施や森林の多面的機能の維持・発揮に必要な作業道の整備
・里山林に自生する広葉樹等の森林資源を木質バイオマスとして活用し、苗木を植栽する
・薪割り体験などを通じた青少年への森林環境教育

　図6.4-24は密集状態にあった竹林を伐採して、広葉樹クヌギの苗を植えたところです。左側がもとあった竹林で、中央下あたりに白いテープを巻いた背丈50cm程度のクヌギの苗木（他にコナラ、アラカシ）が見えます。中央付近には、自生したと思われる樹齢40年ぐらいの檜が数本残っています。
　これに対して、左の青い竹はこの春にタケノコが生長したものですから、半年弱で10m近くにも大きくなっています。この

初期成長力の差が、竹林があちこちにはびこっている原動力であることがわかります。

図6.4-24　植え付け後のクヌギの苗木

　図6.4-25は苗を植えて、ほとんどそのままで１年程度経った様子です。青いリボンを掛けたクヌギの苗（太い円で囲んだ部分）が一面の雑草に覆われて、見分けがつきにくくなっています。シダ、ススキをはじめとした生育の旺盛な植生が幅をきかせています。

　このように、植林したばかりの苗木は、竹ばかりではなくて、まずは雑草と太陽のエネルギーを奪い合うための生存競争にさらされます。日本の気候は夏に高温多湿で、草木の成長には好

ましいのですが、少なくとも10年程度までの樹木の幼少期（林分成立段階）に毎年下草刈りをして、手助けをしてやる必要があります。この下草刈りやつる切りなどの初期保育経費が木材生産コスト全体のかなりの部分を占める（場所・条件によって4〜7割と言われる）ことが、我が国林業の一つの宿命です。

図6.4-25　苗木はまず雑草との生存競争にさらされる

　図6.4-26は2年ぐらい経過した状態で、周りの除草もしてありますので、成長の様子がよくわかります。背の高いものは1m程度になっています。さらに、時間が経過して7〜8年くらいになると図6.4-27（中央が植林したクヌギ）のように、人間の背丈をはるかに越え、5m近くにまで伸びてきます。この頃になると、やっと下草刈りなどの手間もほとんどかからず、そのまま20年程度の収穫期まで放っておけるとのことです。周りの背の高い雑草などが気にかかりますが、生物多様性や水源涵

養という点からも、あまりきれいに下草などを刈り込む必要は
ないのかもしれません。

　大体20年を収穫の目安にしているというのは、この頃には樹
径が20〜24cmぐらいになり、木材の運搬や薪割りなどのしや
すさ、また人が取り扱うのに手頃なサイズであるのが主な理由
です。杉、檜などの針葉樹でも成木になるまで最低40〜50年は
かかると言いますから、40代のパートナーが今植えて、自ら収
穫するにはこれくらいが良いところということでしょう。

図6.4-26　植林2年後の様子（除草後）

図6.4-27　10年近くで人よりもはるかに高く成長

　図6.4-28は、あちこちの雑木林に自生していたクヌギやケヤキを「玉切り」にしたものです。直径50cm以上もあろうかという年季の入った立派なものですから、移動にはフォークリフトのような機械が必要となります。広葉樹は、細胞組織がつまっている（一応年輪はありますが、針葉樹のように明瞭ではない）ことから、木の質は固くて、加工が大変だというのは実際にのこぎりで切ってみればよくわかります。加工のしやすさという点で、建築用材などとして杉や檜などの針葉樹が好まれる理由です。

図6.4-28　玉切り処理後の雑木

　さらに短く小切りした後は、図6.4-29のような薪割り装置で半分ずつに割って薪の大きさにしてゆきます。薪の状態になった後は、図6.4-30のようにパレットに入れて、木の種類にもよりますが１〜２年間自然乾燥させます。乾燥の目標は水分含有量15％で、含水計で測定して確認していますが、我が国の多湿な気候では結構な時間（１〜２年間）がかかるようです。

　図のパレット一杯が約400kgで、概ねこのパレットから軽トラック１台（１トン）の単位で大体半径50km圏内のお客さんに販売しているとのことです。

　暖炉（薪ストーブ）に薪をくべるスローなライフスタイルには少し憧れを感じますが、専用のストーブ（高性能なものは主に欧州製）と排煙のための家屋の改造が必要です。寝る前に薪

に火を入れておけば、次の日の朝まで家中が暖かいという居心
地の良さは格別とも聞きます。

図6.4-29　機械化された薪割り作業

図6.4-30　薪の自然乾燥には１～２年間

気になる薪の価格や経済性についてですが、灯油の価格が現在の倍近くにならないと、今のままでは勝負にはならないとのことです。今後量産化設備などが整い、流通機構が整備されて販売コストが下がることが必要です。そして消費者がCO_2排出削減や木（木質バイオマス）のエネルギーを利用した持続可能な生活にどの程度重きを置くかにかかっています。さらに大事なのは私のパートナーのように、森林に愛着を感じて、木の成長を楽しみにして、最低20年というスパンで事業を考えることができる事業者の存在です。

　以上が、木質バイオマス利用を実践している例です。少し原始的に思われるかもしれませんが、身近にある木を熱エネルギーとして活用する方法としてはシンプルで合理的な方法です。「里山」を世に広めたといわれる故四手井綱英博士は著書[64]の中で、以下のように述べています。
「タケの問題はさておいても、日本に大きな面積を占める里山のすべてを、自然の遷移法則である照葉樹林化を防ぎ、特有の景観と生物群を保存しようとするなら、おそらく低林として管理し、薪炭林ないしそれに代わるバイオマス・エネルギー源として利用していくほかはないだろう」

Ⅶ. 新しいテクノロジーへの期待

　2019年 6 月に、政府が閣議決定したGHG排出削減の長期計画においては、「ビジネス主導の非連続なイノベーション」という言葉で新技術の登場への期待感が込められています。ここでの「非連続なイノベーション」とは、まだ実現していない技術の将来的な革新を意味しているとのことです。これに対して、本章で概要を紹介するほとんどの事例は、現在試行段階や研究開発が進められている、より現実的なイノベーションに相当するものです。筆者なりの見方で、注目されている新技術を集めてみました。

　私たちは困難な課題に直面すると、どうしても画期的な新技術の登場に期待したくなります。しかし、注意しなければいけないのは、新技術には光の部分とともに陰の側面がつきものであることです。

　福島原発事故の問題はその最たるものですし、環境分野で代表的なトピックスに代替フロンがあります。かつてエアコンや冷蔵庫の冷媒、ヘアスプレーガスなどとしてよく使われていたフロンガスですが、1980年代に私たちを有害な紫外線から守ってくれている大気上空のオゾン層を破壊することが明らかになりました。すぐさま代替フロンが開発され、1987年のモントリオール議定書採択により、それまで使われていたフロンが全廃されることになりました。ところが、この代替フロン類がCO_2の100〜 1 万倍の非常に高い温室効果を持つことが判明して、

これから段階的に使用を減らしてゆかなければならない事態になっています。

　これらの教訓は、地道にCO_2の発生を抑えてゆく活動を忘れてはいけないことを示唆しています。

「GHG排出実質ゼロ」の実現を目指す2050年はかなり先のような気がしますが、新しい技術が芽生えて、経済的なシステムとして社会に定着するにはそれなりの時間を要します。特に、エネルギーのように、物理の基本原理に関わる問題ではそうではないでしょうか。これからの社会全体の実質的なGHG排出ゼロに向けては、さまざまな分野で可能な限りの技術を総動員する必要があります。そのためにできるだけ範囲を広げて、現在注目されている、または今後重要性が高まると思われる主要な技術を表7-1にまとめてみました。

　ここでは以下の方針に則り、できるだけ温暖化対策の全体メニューが掴めるようにと考えて、内容を集約しています。基本的には地球環境の持続可能性に配慮し、可能な限りNo.17〜19の技術については適用を後回しにし、それ以前の技術で対応すべきと考えられます。
・GHG排出のみならず、CO_2（炭素）の吸収や固定化までの全体プロセスを考える。
・GHG排出のかなりの部分は化石燃料のエネルギー使用によるCO_2排出が占めており、それを自然エネルギーに置き換えることが主眼となるが、メタン等の他のGHG排出や素材製

造プロセスにおけるCO_2排出削減も考慮する。

・現在既に開発済み、あるいは商品化段階に移っている技術から、未だ研究開発の余地が多く残されている技術に至るまで、各分野の代表的な技術を取り上げる。

一読して頂ければわかると思いますが、「社会にイノベーションをもたらす」ためには、トリガーとしての革新的な技術開発が必須ですが、むしろそれを受けて私たちの考え方や生活の仕方を根本から見直し、そのための社会の仕組みをどのように転換していくかが重要となります。温室効果ガスの排出削減と脱化石燃料という難しい課題に直面した今、新しいアイディアを取り入れて、既存のシステムを打ち破る私たちの柔軟な思考力が問われているように思います。

限られた紙面で、幅広い研究開発活動を紹介するのはとても無理があるのは承知の上ですが、これらの内容から、自然エネルギー社会が目指す一つの方向性を掴んでいただければ幸いです。

表7-1　地球温暖化対策として期待されるテクノロジー

No.	分類	項目	内容・課題など	該当項目
1	エネルギー使用効率化（省エネ）	輸送系などの電動化	車両などの電動化によるエネルギー利用効率化、電源の脱炭素化が鍵	Ⅳ.5
2		ヒートポンプ	電気による空調機・給湯器などの熱エネルギー利用効率化、効率的な使用法との組み合わせ	Ⅲ.7、Ⅲ.8
3		燃料電池	電気・熱の高効率な分散型コジェネレーション電源、燃料水素・機器の低コスト化が重要	Ⅳ.9
4	自然エネルギー収集	新形態高性能太陽電池	フレキシブルで取り扱いやすいペロプスカイト太陽電池、高効率な多接合型太陽電池、大量生産でコストダウンを図ること	Ⅶ.3
5		浮体式洋上風力発電	豊かな洋上風力発電ポテンシャルの活用、システムの低コスト化と送電線・エネルギー輸送法が課題	Ⅵ.3
6	エネルギー輸送	直流送電	送電・交直変換ロスの少ない設備効率の高いシステム、コミュニティなどローカルから展開が進むか	Ⅶ.1
7		スーパーグリッド	国際連系線による電力融通と異種エネルギーの組み合わせ、北欧がモデル、政治の壁	Ⅶ.2
8	エネルギー貯蔵	次世代二次電池	全固体リチウムイオン電池など、エネルギー密度・出力と安全性・耐久性向上、大量生産でコストダウンを図ること	Ⅶ.4
9		水素利用/水素発電	エネルギーキャリアとしての水素活用、水素発電は燃焼器開発と全体システムの経済性が課題	Ⅶ.7

10	エネルギー需給調整	バーチャル・パワープラントVPP	再エネ等の分散電源をソフト的に統合、スマートグリッドに展開、サイバーセキュリティ対策	Ⅳ. 8
11		ブロックチェーン	デジタル/IT技術とセキュリティ対策により電力のP2P取引を実現、プラットフォーム拡張性が発展の鍵	Ⅶ. 5
12	農業関係	メタン/N_2O排出削減	過剰な化学肥料使用から循環型有機農法へ、経済的な成立性	Ⅶ. 9
13	脱炭素素材製造	低炭素金属材料製造	水素などの還元材料を使用した製造法、リサイクル材の活用	Ⅲ. 9
14		人工光合成/バイオ燃料	エネルギー変換効率の高い有用物質の量産プロセス開発と経済性、CCUSはエネルギーとマテリアル利用の可能性あるが必要なエネルギー源とコストが課題	Ⅶ. 6
15		セルロースナノファイバーCNF	植物由来の環境負荷の低い素材、経済的な量産プロセスと用途の開発	Ⅶ. 6
16	CO_2固定化・貯留	ブルーカーボン	浅海生態系の保全・再生、炭素隔離の科学的な根拠に基づく基準設定が必要	Ⅶ. 9
17		炭素回収・貯留CCS	CO_2の分離・回収・輸送・地下貯留、安定した地層での長期貯留の信頼性と経済性	Ⅶ. 8
18	気候工学	各種提案あり	太陽放射管理・CO_2除去など、長期的な安全性・信頼性が未確認	Ⅶ.10
19	脱炭素エネルギー	小型モジュール原子炉	安全性を高めた新構造原子炉、核廃棄物処理の問題あり	

1. 直流送電技術

　私たちが日常利用している電子機器や電気製品のおおよそ80％が最終段階では直流で駆動されています。ノーベル賞を受賞した吉野彰氏は現在の電球型LEDを例にとって、高価でしかも重いのは、電球内部に交流から直流に変換する変換器（コンバータ）が内蔵されているためで、直流送電になればもっと安く軽くて、効率も上がることになると話されています（注）。変換器が内蔵された身の回りの電気製品では、私たちはこの差にほとんど気づくことはありません。比較的わかりやすいのがパソコンなどのモバイル機器の充電器で、ケーブル途中にある膨れた重しのような部分が変換器に相当します。

（注）NHKカルチャーラジオ「電池が起こすエネルギー革命」

①交流送電 VS 直流送電
　送電システムを交流にするか直流にするかという19世紀末の歴史的な技術論争は、電気を専門とする方はご存じと思います。下記の、いわゆる「電流戦争」です。
・直流派：トーマス・エジソン@ゼネラルエレクトリック（GE）社（注）
・交流派：ニコラ・テスラ@ウェスチングハウス（WH）社

　最終的な結果は交流派の圧勝で、現在の交流送電システムになっています。理由は当時の技術では直流を高電圧化することが難しかったからです。電気を送る時の損失は電圧を高く（高

圧送電）することによって減らすことができます。遠くまで電気を送るという送電ネットワークが整備されるようになると、発電した後に電圧を高くして送電して、使う手前で電圧を下げるという変圧機能が必須となってきたのです。

　上巻・図4.2-5で見たように、我が国でもこの交流系統の送配電システムが導入されています。

（注）米国を代表する老舗電気メーカー2社がエネルギー転換期に入った現在、経営に苦しんでいるのは歴史のいたずらかもしれません。WH社の原子力事業は、買い取った東芝の経営危機の引き金になりました。電気製品部門は、分離売却された後、消滅しています。GE社はタービン発電機などの重電機分野に主力事業をシフトしていますが、エジソン以来保持してきた照明装置事業などを切り離すのではないかとも言われています。

　図7.1-1は、高電圧に変換する変圧器の原理を示しています。詳しい内容は省きますが、磁場 ϕ が周期的に変動するという交流でなければ成り立たない仕組みです。この交流による発電システム・電動機を発明したのが、一時はエジソンの電灯会社（後のGE社）で働いていたテスラで、今は磁場の単位にその名を留めています。

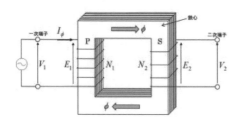

図7.1-1　変圧器の原理 [1]

　表7.1-1は直流送電の長所と短所を列挙したものです。短所の中には最終の電力消費を交流機器で行うという前提で書かれた項目（短所第2項、第3項）があり、もしこれらも直流機器に置き換われば、欠点が少なくなります。短所の中で最も解決が難しいとされてきたのが超高電圧用の直流遮断機（ブレーカ）でした（同第4項）が、最近半導体遮断機が開発されたとの報告があります [2]。逆に長距離大電力の交流送電では電力系統の安定性が悪くなるという欠点があります。また、タービンなどの回転式発電機から、太陽光発電のように非回転式の発電機の連系割合が高くなると電力系統の（停電時などに問題となる）安定維持に寄与する"慣性"が少なくなりますが、直流送電ではその心配がなくなります。したがって、太陽光発電などの導入量を増やしてゆく際のハードルが下がると言われています。

　そして、我が国固有の問題に東日本と西日本で交流の周波数が違うことがあります。直流送電になると、東日本大震災の時に経験した東西で電力の融通がなかなかうまくゆかないといったこともなくなります。

表7.1-1　直流送電の特長 [1]

長　所	短　所
・送電ロスが少なく大電力長距離送電に適している ・交流よりケーブル条数が少ないので建設費が安い ・ケーブル送電でも、充電容量や誘電体損失がない ・絶縁が交流の $1/\sqrt{2}$ になり鉄塔が小型化できる ・周波数の違う電力系統の連系ができる ・電力潮流の高速制御が容易に行える ・帰路導線が省略できる ・短絡容量低減対策が必要ない	・高調波・高周波の障害防止対策が必要である ・送受電端で交直流変換装置が必要となり費用がかかる ・交直流変換の際に無効電力を消費するので調相設備が必要となる ・直流遮断器がないので系統運用自由度が低い ・大地帰路では電食問題が発生する

②今なぜ直流送電が見直されているのか

　理由の一番目は**パワー半導体（パワーエレクトロニクス）の技術進歩**により、直流での変圧が自由にできるようになったことです。半導体技術は微弱な電流・電圧を取り扱う弱電の分野から、最近は数万ボルトや数万アンペアまでをカバーするSiC、GaNなどの半導体素子が開発されるようになりました。適用範囲も図7.1-2のように、動力系統や新エネルギー分野から電力システム分野へと広がっています。

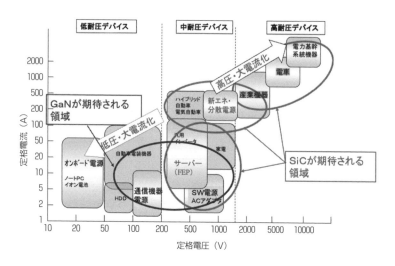

図7.1-2　SiC・GaNデバイスの対象領域 [3]

　二番目は**直流送電そのものの効率が交流送電よりも優れてい
る**点です。図7.1-1で交流に伴う変動する磁場の話が出てきまし
たが、これによって交流送電では余分なエネルギー損失が発生
します。特に、長距離に大電流を送る幹線や洋上風力発電など
の海底ケーブルではこの損失は無視できなくなります（注）。

（注）ABB社によると、高圧直流送電（HVDC）で送電距離1500kmの場
　　合の送電損失は５％以下で、交流の約1/2とのことです。

　最後に電力を利用する際のエネルギー効率の問題です。私た
ちが使っているかなりの電気製品は電子化されて、交流機器も
変換器によって内部は直流で動作しています。この**交流／直流
変換時に熱などとして一部のエネルギーが失われ**、大型コンピ

ュータなどでは余分の放熱対策が必要となります。さらに、太陽光発電のように発電そのものが直流で行われるようになると、直流⇒交流⇒直流のように電力を消費するまでに少なくとも2回の交直変換が必要となります（注）。1回ごとのエネルギー損失はそれほどでないとしても、全体としてはかなりの損失量となります。

（注）太陽光発電ではパワーコンディショナー（PCS）によって直流⇒交流の変換を行っていますが、5％近くの損失が発生します。

　これから自然エネルギーの導入が拡大する電力の利用環境では、さらに以下のように直流にとって適したものになることが予想されます。
・直流発電機器の増加：太陽光発電・燃料電池などの分散電源は直流出力
・直流電力利用機器の増加：電気自動車（バッテリー駆動）、コンピュータ・通信機器（いわゆる半導体IoT機器）
・直流電力貯蔵システムによる充放電：二次電池（定置型、EV）による電力の需給調整

　特に最後の点については、現在の交流送電システムでは、頻繁に行われる交流・直流変換時のエネルギー損失と必要な変換器の数を積み上げると、社会的にもかなりの負担になります（上巻・第Ⅳ章8項参照）。

　現在の電力の送配電システムは基本的には、大規模集中型の

発電所から遠隔地に電力を送り届けるという考え方に立っています。ところが、自然エネルギーの本格導入で分散電源化へと進んでゆくと、地域コミュニティのような限られた範囲内（注）でのローカル（またはマイクロ）グリッドと呼ばれる送配電網では直流システムの優位性が見直されてきます（上巻・第Ⅳ章２項参照）。かつてエジソンが思い描いた直流送電システムがよみがえってくる可能性があります[4]。

（注）現在は直流システムの経済的な上限範囲は0.65km²とされています。

③直流送電技術の展望

　しかし、送配電システムは既に現代社会の基幹インフラとなっており、交流から直流送電システムへと一足飛びに移行するというのもなかなか想像できません。こういう場合には、直流の特長が発揮される用途などから、次第に変化が進んでゆくということも起こり得ます。以下ではそのような事例を見てゆくことにします。

　まず、広域連携線や次に出てくる国際送電線（スーパーグリッド）などの長距離送電線です。図7.1-3のように、ベースとなる送電システムが交流であっても長距離の送電は直流が有利です。直流送電を採用すると、交流／直流変換設備の費用的な負担が大きいのですが、線路そのものの費用は少なくて済むため、ある送電距離を超えると直流の設備費の方が安くなります。現在、インド、中国、米国西海岸、ブラジル、アフリカなどでは1000kmを超える40〜80万Ｖの高圧直流送電HVDC（High

Voltage Direct Current）設備が建設されています。HVDCは従来の高圧送電線よりもパワー損失が少なくて、必要な土地面積も少なくて済むという特長があります。

　また、海底ケーブルでは構造および電気的な制約により、数十km以上では直流送電の方が効率が高くなります（注）。そのため、北海道・本州および紀伊水道連携線、欧州などの海底送電線では直流送電が使われています。

（注）表7.1-1の直流送電の長所・第3項に相当します。

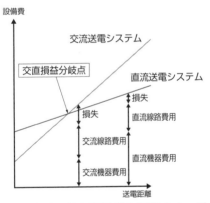

図7.1-3　送電距離と設備費の相関イメージ[5]

　次に、需要側で直流給電システム（注）を活用したデータセンターの例です。図7.1-4が米国テキサス大学コンピュータセンターの給電システムの概要です。コンピュータ本体（マザーボード）への入力は直流ですが、そこまでの給電システムには下記の特長があります。

・交流の商用電力系統から直流への変換（HVDC整流装置）後はすべて直流送電で、変換はこの1回だけ。

・電源に太陽光発電を利用する場合はすべて直流送電で、交流・直流変換はなし。

・途中にUPS（無停電電源装置）としてLiイオン電池を接続する必要があるが、ここでも交直変換の必要はなし。

　このように、主として交流・直流の変換を少なくする、あるいは無くすことで、空調や照明設備を含めて従来のシステムに比べて15％程度の省エネを実現しています。

（注）ここでは送配電された後にユーザー側で使用機器に電力を送るまでの間を「給電」と呼んでいます。

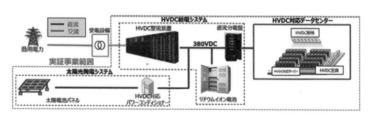

図7.1-4　米テキサス大学コンピュータセンターの直流給電システム[6]

　この例のように、太陽光発電等の分散電源と組み合わせて、商用系統から完全に独立した直流給電によるローカルグリッドが構成できるようになります。将来のデータセンターなどではこのようなオフグリッドの直流系統を構成するのが一つのスタンダードとなるでしょう。我が国では、さくらインターネット株式会社が北海道・石狩で太陽光発電所からデータセンターま

でつないで、直流の自営線を設置した事例があります[7]。

　今後各種機器のエネルギー効率向上、省エネ活動によってエネルギー消費の削減が進むものと見られていますが、一方ではデータセンターと電気自動車の電力消費は確実に増加すると言われています（注）。そのためデータセンターの電力消費量削減が急務となりつつあり、上記のような直流給電システムがますます注目されるものと考えられます。

（注）国内データセンターの電力使用量は、2025年に240億kWh/年（原子力発電所2基分）に達すると推定されています（経済産業省・グリーンIT推進協議会資料による）。

2. 国際連系線（スーパーグリッド）と
　大規模自然エネルギー・プロジェクト

　ここからはHVDCを使った夢のある、大きな世界的プロジェクトの話です。スーパーグリッドに明確な定義があるわけではありませんが、「国境を越えてつながる大規模な高圧送電システム」と考えてください。

　まず、この「スーパーグリッド」の実例として、北ヨーロッパ諸国間で実際に運用されている北欧連携線（電力取引市場はNord Pool）について紹介します。ほかにもスーパーグリッドに相当するものはありますが、現状これが最も成功していると言われています。次に、構想通りには進んでいない例として、"デザーテック"というプロジェクトを取り上げます。これは、"スーパーグリッド構想"の先駆けのようなもので、最近までヨーロッパ主要国などの間で実現に向けてのスタディが鋭意行われていました。そして、最後に我が国を含めた"アジアスーパーグリッド構想"について説明します。

①北欧連系線

　以下では、実運用の経験を踏まえて、プロジェクトがうまく進んでいる秘訣を担当機関の関係者による講演[8]から探ってみます。

　デンマーク、ノルウェー、スウェーデン、フィンランドの北欧諸国では1990年代初めより、電力の自由化が進められて、電力取引市場Nord Poolが開設されています。HVDCによる海底

ケーブルなどの電力の国際連携線も着実に整備され、敷設計画に従って現在も延長距離が拡大しています（図7.2-1）。2010年以降にはバルト三国（エストニア、ラトビア、リトアニア）が加わって、概ね現在の構成となっています。

　この国際連系線を使った広域ネットワークを構成することによって、自然エネルギー固有の変動出力が平滑化されて、電力の需給バランスを確保しやすくしていることが第1のポイントです。つまり、一つの地域で生じたアンバランスを電力市場全体で吸収することが容易になります。

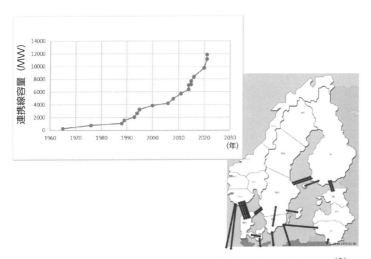

図7.2-1　北欧連携線の敷設状況と将来計画（2016年時点）[8]

　発電能力などの規模を我が国と比較してみると、以下のようになります。

	北欧諸国（除くバルト三国）	日本
（1）発電容量	1億331万kW	1億7,077万kW
（2）年間発電電力量（うち水力）		
	397TWh（229TWh）	885TWh（85TWh）
（3）人口	2,570万人	1億2,700万人
（4）国土面積	121万6,657㎢	37万7,972㎢

（注）T（テラ）＝10^{12}。日本の発電容量は原子力を除き、2014年度末の10電力会社合計、発電量は2015年度の10電力会社の合計で、いずれも電気事業連合会調べによります。北欧諸国の発電容量はNordic Market Report 2014、発電量は図7.2-2によります。

　発電設備の能力に対する実際の発電電力量の比（2）／（1）を比較すると日本の方が北欧の1.35倍と大きくて、これだけを採ると日本の発電設備の方が稼働率が高くて、効率が良いように見えます。しかし、次のように変動する自然エネルギー源と需給調整に対応するために、水力発電を運転とエネルギー貯蔵のサイクルで機動的に稼働するという基本的な運用方法の相違があります。

　北欧諸国の発電量の内訳を見ると図7.2-2のように、水力が半分以上を占めており、特にノルウェーではほとんどすべてが水力となっています。また、風況の良いデンマークやスウェーデンでは風力も活用されています。スウェーデンとフィンランドでは豊富な森林資源を活用したバイオマス発電も盛んです。なお、高緯度の北欧地方では太陽光発電はほとんど見られません。

　これらの豊富な自然エネルギーの利用が全発電量の約7割にも達しています。それ以外の部分はスウェーデン、フィンランドが原子力発電を使い、化石燃料の使用はごくわずか（8％）です。現在、発電量のほとんど（8割以上）を化石燃料を使った火力発電に依存している我が国と大きく異なる点です。

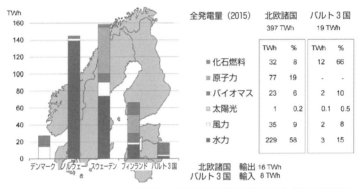

全発電量 (2015)	北欧諸国 397 TWh		バルト3国 19 TWh	
	TWh	%	TWh	%
■化石燃料	32	8	12	66
■原子力	77	19	-	-
■バイオマス	23	6	2	10
□太陽光	1	0.2	0.1	0.5
□風力	35	9	2	8
■水力	229	58	3	15

北欧諸国　輸出 16 TWh
バルト3国　輸入 8 TWh

北欧諸国の年間水力発電量は通常208TWh（偏差±40TWh）

図7.2-2　北欧諸国の電源構成（2015年） [8]

　この地域にスーパーグリッドを導入したことによるメリットをわかりやすく示したのが図7.2-3です。以下のように、各国が保有する自然エネルギーの特長をうまく補完して運用していて、自然エネルギーによる発電量が100％近くになっても、系統の柔軟性に問題は生じないようです。

・豊富な水力資源をエネルギーの貯蔵・調整装置としても活用する。
・水力資源の季節変動を補完するために、火力・原子力発電等や当地域外との電力取引（注）を利用する。

・デンマークなどの風力発電の出力変動を他国の電源で調整する。

（注）図7.2-2のように域外への輸出超過が約４％となっています。

エネルギー余裕の確保　　　　季節変化への対応　　　　地域間の融通

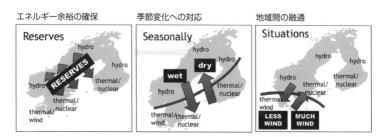

図7.2-3　北欧諸国の発電におけるエネルギー多様性の効果 [8]

　以上のように、２番目のポイントは**自然エネルギーの多様性を持った国が集まることにより、電力系統全体の柔軟性が向上する**ことです。

　詳細としては、図7.2-4のノルウェー貯水量（下側）の１年間の周期的変化のように、ノルウェーの水力ダムが、年間を通じてエネルギー貯蔵・調整池としての役割をうまく果たしています。さらによく見ると、これが電力価格（上側）とよく連動していることがわかります。つまり、電力市場を通じた需給調整がノルウェーのダム貯水量をシグナルとして働いていることが想定されます。

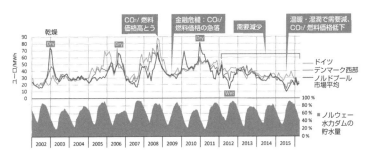

図7.2-4　北欧諸国の電力価格の推移（上）とノルウェーの
　　　　　ダム貯水量（下）の変化[8]

　これらの結果として得られる経済的なメリットですが、本図のようにここ４〜５年は原油価格の変動などにもあまり影響されることもなく、電力価格が順調に下がってきています（注）。自然エネルギー電源の普及で、次第に価格のレベルが下がってくるという特徴が現れているものと思われます。さらに、最近は欧州大陸のドイツやオランダ等にも電力系統が拡大しています（図7.2-1）ので、図7.2-4に見られるようにドイツ等の電力価格（除く再エネ賦課金）も連動して下がる傾向にあります。

　この**電力市場との統合で、電力の需給調整を図っているのが**３番目のポイントです。つまり、電力の需給バランスを電力価格の動きで自動的に調整できるような市場規模と流動性の確保ができていることです。

（注）電力取引市場Nord Poolでは、各国のいくつかのエリアごとに電力
　　　価格が決まります。例えば風力発電が主体のデンマークは東西に分
　　　かれていて（DK-West、DK-East）、水力が主体のNord Poolの平均

（Avg.system）とは違った動きが見られます。また、大陸のドイツ市場はより原油価格などの影響を強く受けています。

　今後、関係各国の電源構成の見通しは、図7.2-5のように2050年には原子力発電を完全に止めて（注）、すべて自然エネルギーで電力を賄う計画となっています。そのために風力を大幅に増強して、バイオマス発電も増やす内容で、系統の柔軟性も確保されそうです。余った電力（総需要よりの超過分）は欧州大陸にも輸出するなど、かなり現実的な計画と思われます。

（注）ドイツ、イタリアのようにスウェーデン、フィンランド政府が正式に脱原発を決定しているわけではありませんので、本計画はあくまでも有力な選択肢の一つです。

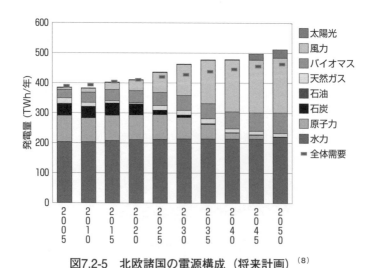

図7.2-5　北欧諸国の電源構成（将来計画）[8]

　社会福祉国家という**理念を共有する北欧の国々**が、将来の自
然エネルギー社会へ向けて着実に歩んでいる姿が思い浮かべら
れます。我が国とは人口密度などの社会・自然環境は異なるも
のの、1人当たりGDPで常に世界上位を占めるこれら諸国が、
先進的な社会インフラの構築を進めている活動は大いに参考に
なるものと思われます。

　前記の人口密度（3）／（4）で比べると我が国は北欧諸国
の約15倍ですが、自然エネルギー利用の面では北欧諸国とヨー
ロッパ中央部の関係が、北海道・九州と本州の関係に相当する
と考えることもできます。両地方ともに太陽光エネルギー資源
に比較的恵まれ、九州はさらに水力、北海道は風力資源が豊富
です。しかし、我が国の大手電力会社の電源構成（設備能力）
を見ると、どこも似通った内訳で、現在は天然ガスおよび石炭
火力が主体となっています。日本列島全体を見渡して、もう一
工夫必要ではないでしょうか。

②デザーテック構想

　参考資料[9]によると、デザーテック構想の当初の狙いは次
のように書かれています。
「太陽光豊かな地中海域の国々に太陽光集光型パワー発生機を
設置し、高電圧直流送電線（HVDC）を使って、曇りがちな北
方の国々へ電力を送る計画」

　図7.2-6に地理的なイメージを示します。北アフリカのサハラ
砂漠を中心とした一帯に面積1500km²の円（注）に相当する65

カ所の発電設備を設置することにより、ヨーロッパと北アフリカ、中東地域に住む約10億人分の電気使用量を賄おう（しかもヨーロッパ人の平均的な使用水準で）という壮大な構想です。日照条件に優れた地域でこれだけの面積の土地を使えば、かなりのエネルギーが取り出せます。

（注）実際に使うのは半径20km余りの円の半分で、東京都の面積2200k㎡より少し小さい。

円形の塊1個は1500k㎡の面積を占め、その半分を太陽光設備で覆えば、平均として10GWの電力が得られます。これら塊65個から10億人に16kWh/日/人の電力を供給することができます。

図7.2-6　デザーテック構想[9]

ここで使用する太陽光集光型パワー発生機の原理は、太陽電池とは違って、むしろ蒸気タービン式発電に近いものです。代表的な方式は、図7.2-7のように地上に大型の反射鏡をたくさん

並べて、太陽光エネルギーをタワー上部に集めることによって、そこで加熱された液体蒸気を駆動源とするものです。太陽熱の形で利用するのは、日中に太陽光エネルギーを熱に変換して溶融塩タンクに貯めてから発電に供することで、夜間に至るまで（最大7時間程度）連続で安定的な電力供給を行うことができるためです。太陽光発電に比べると、敷地面積当たりの出力が半分程度（必要な面積は2倍）になりますが、昼間の出力ピークをシフトして、夜間にも発電できるようにするのがポイントです。

図7.2-7　太陽光集光型パワー発生機の例[(10)]

　プロジェクトの推進母体としてDESERTEC Foundationや欧州企業のコンソーシアムが組織され、初期には特にドイツが活

動に熱心でした。その後、中東地域の政治的混乱などもあって、最近は活動が停滞状態にあるようです。また、技術的には発電要素があまりにも太陽光エネルギーに偏りすぎていて、柔軟性に欠けるという点が指摘されています。

③アジアスーパーグリッド構想

3つ目のプロジェクトが、図7.2-8の自然エネルギー財団などが推進する「アジアスーパーグリッド構想」です。対馬海峡経由の海底ケーブルなどを通じて、東アジア、東南アジアからインドまでを含む広大な地域を跨ぐ直流電力系統です。2016年3月には「アジアスーパーグリッド構想」について当財団と中国、韓国、ロシアの当局者が協力して調査検討を開始し、報告書[11]にもまとめられています。

日本側では、当初"ゴビテック"とも称されていたように、ゴビ砂漠の風力と一部太陽光により発電した電力を中国または韓国を経由して、日本にまで運ぶことを計画していたようです。環境対策と途上国へのインフラ輸出に積極的な中国、エネルギー資源輸出と西欧諸国と政治的に微妙な関係にあるロシアなど各国の思惑も絡み、具体化にはまだ時間がかかりそうな状況です。

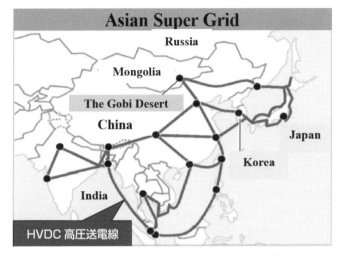

図7.2-8　アジアスーパーグリッド構想[(10)]

　これだけの広大な領域が電力系統でつながると、各種自然エネルギーが豊富な中国、風力資源の豊かなモンゴル、太陽光や水力資源に恵まれたインドや東南アジアのように多様なエネルギー源が投入されて、相互補完的な関係が期待されます。一方、実現に向けての大きなハードルとなるのは、技術的な問題よりはやはり以下のような政治的な課題となるでしょう。

・長期的に方針が変更することのないような政治の安定性があること。
・域内には、これからエネルギー需要が増大する新興国が多く、国内の電力需要確保が最優先とならざるを得ないこと。
・最終的には国民の理解が十分に得られるような相互の信頼関係が醸成されること。

3．新形態の太陽電池

　現在使用されている太陽電池はほとんどが結晶シリコン系
（2017年・国内生産の約95％）ですが、第Ⅵ章2項（図6.2-2）
のように、変換効率は理論限界に近づきつつあるために、これ
以上の目立った性能改善は見込みにくい状況です。

　そこで、今後の技術開発の方向としては、多接合型（タンデ
ム型）で変換効率を上げること、低コストで幅広い場所や用途
に使えるようにすることが考えられます。いずれにおいても、
性能向上とコストダウンを両立する製造方法を確立することが
最終目標となります。以下では、それぞれの最近の開発例を取
り上げてみます。

①低コスト・タンデム型太陽電池

　我が国では、太陽光発電に利用できる土地面積が限られるた
め、そこでできるだけ多くの電力を取り出すために、太陽電池
の変換効率の向上が重要となります。しかも、現在の結晶シリ
コン系から製造コストが跳ね上がることのないようにしなけれ
ばなりません。

　ここでの例は、図7.3-1のように結晶シリコン太陽電池のボト
ムセル層の上に、光透過型の亜酸化銅Cu_2Oをトップセル層と
して載せた2層型の太陽電池です。トップセルでは短波長光を
吸収・発電し、長波長光を約80％透過してボトムセルで吸収す
るという分担で、幅広い波長の光を電気エネルギーに変換する

ことを可能としています。そのために、トップセル薄膜内部での不純物の混入を抑え、Cu₂Oの透明化を実現する成膜法を開発しています。しかも、Cu₂Oは地球上に豊富に存在して、資源枯渇の心配がなく、低コスト化が期待できるとのことです（注）。この方法によって、2〜3年後に変換効率30％台の実現を目指しています。

（注）現在のガリウムヒ素半導体などを用いたタンデム型太陽電池の製造コストは、結晶シリコン単体の太陽電池の数百〜数千倍と高くなっています。

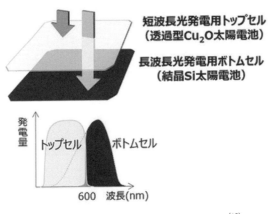

図7.3-1　タンデム型太陽電池概略図 [12]

②ペロブスカイト太陽電池

　薄膜化合物系の半導体でペロブスカイトと呼ばれる結晶構造を持った新型太陽電池は、以下のような特長を備えています。

・フレキシブルかつ軽量の薄いフィルム状で多様な用途への適

用が見込める（図7.3-2）。

・安価な材料の塗布・印刷技術で製造できるために、低コスト製造の見込みがある。

・発電効率も結晶シリコン系に遜色ないレベル（20％以上）に近づきつつある。

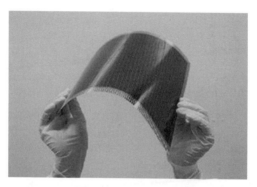

図7.3-2　ペロブスカイト太陽電池 [13]

　この太陽電池は日本人の手によって開発されたというのも魅力ですが、シリコン結晶系に比べて多少耐久性が劣ったとしても、太陽電池が私たちの身近な生活に溶け込んで、使いやすいものになることが期待されます。このような特長を活かして、ベランダに掛けたり、服装などで身につけたり（ウェアラブル）、日傘に貼ったりなどで、使い勝手が良ければ需要が広がりそうです。また、街中のビルでは遮光を兼ねてフィルムを窓に貼って、ZEB（ゼロエネルギー・ビルディング）の構成要素として貢献することも期待されます。

　家庭の電気機器はスマホ、パソコンから扇風機、AV機器、掃除機へと小型化・モバイル化に向かっています。これらの機器に内蔵される蓄電池の電力源として、取り扱い性に優れた低コスト太陽電池は蓄電池とともにニーズが増えてくるものと思われます。

　このように電気は自ら造って、環境に配慮しながら必要な時に買ってくるという個別需要（パーソナル化）の時代がやってくることでしょう。これは将来の電力のP2P取引の普及にもつながってゆきます。

4．二次電池の進化

　上巻・第Ⅳ章７項では、太陽光などの変動する自然エネルギーの導入量が増えてくるとエネルギー貯蔵システムの活用が重要となること、さらに上巻・第Ⅳ章８項ではその候補として電気自動車（EV）などの蓄電池（二次電池）を活用することが期待されることを述べました。ここでは、この二次電池の技術開発の動向に焦点を当ててみます。

①二次電池の性能と市場動向

　乾電池などの使い切りの一次電池に対して、充電することにより繰り返し使える電池を二次電池（または蓄電池）と言います。二次電池にも、正極・負極・電解質などの構成材料によりいくつかの種類があり、古くから自動車用バッテリーとして使われてきた鉛蓄電池、携帯電話や人工衛星などに以前から使われてきたニッカド電池、ニッケル水素電池などがあります。そして、最近モバイル機器からEVや大規模なエネルギー貯蔵設備にまで幅広く使われるようになってきたのがリチウムイオン電池です。

　表7.4-1に現在電力系統で利用されている蓄電池の種類と性能比較を示します。電池の性能を表す数値で最も基本的なものが以下の２つです。
・**電池出力（kW）**：単位時間にどれだけの電気を充電または放電する能力があるかという充放電の速さを表します。電池種の性能を比較する際にはCレートが使われ、電池を１時間で

満充電にする電流の強さが1Cに相当します。運動選手で言えば瞬発力に相当するものです。

・**電池容量（kWh）**：どれだけの電気量が貯えられるかを表し、導入後の経過時間や充放電サイクル数の影響を受けます。電池種の性能を比較する場合には、エネルギー密度（重量当たり、または体積当たり）が使われます。こちらは長距離選手の持久力に相当します。

実際の電力系統での使用では、数秒のような短い時間での高出力が必要な場合から、昼夜に跨がる数時間から数日までの長い間、できるだけ多くの電力を貯めることが求められる場合の両方があります。

表7.4-1　電力系統で利用される蓄電池の性能比較 [(14)]

種類 項目		蓄電池			
		リチウムイオン電池	ナトリウム硫黄電池	レドックスフロー電池	鉛蓄電池
システム規模	出力	6〜4万 kW	500〜5万 kW	500〜1万5,000kW	3〜5,000kW
	容量	48〜4万 kWh	3,600〜30万 kWh	1,000〜6万 kWh	10〜1万 kWh
充放電効率	電池単体	95%	90%	85%	85%
	システム全体	86%	80%	70%	75%
耐久性	カレンダー寿命	10 年	15 年	20 年	17 年
	サイクル寿命	1万5,000サイクル	4,500サイクル	10万サイクル	4,500サイクル
重量エネルギー密度 ＊括弧内は理論値		**92Wh/kg**（〜585Wh/kg）	87Wh/kg（786Wh/kg）	10Wh/kg（130Wh/kg）	25Wh/kg（167Wh/kg）
体積エネルギー密度 ＊括弧内は理論値		**176Wh/L**（〜3,350Wh/L）	83Wh/L（1,000Wh/L）	15Wh/L（182Wh/L）	62Wh/L（720Wh/L）
充電レート		**8C**	0.13C	0.25C	0.3C
放電レート		**同上**	0.17C	同上	0.6C
特質		・**高エネルギー密度** ・**高出力用途**に適する ・消防法危険物を使用 ・系統での使用実績が多い ・正負極材料の種類が多い	・高エネルギー密度 ・消防法危険物を使用 ・系統での使用実績が多い ・容量当たりの価格が安価 ・高温作動型 ・常温からの昇温に数十時間かかる	・低エネルギー密度 ・サイクル寿命が長い ・運転中も常時SOC把握可能 ・出力と容量を独立設計可能 ・活物質が不燃である ・充放電時に循環ポンプが必要	・低エネルギー密度 ・系統での使用実績が多い ・容量当たりの価格が安価 ・単電池容量の範囲が広い ・リサイクルシステムが確立

　表7.4-1のエネルギー密度の比較では、リチウムイオン電池が最も高くなっていますが、ナトリウム硫黄電池も比較的近い性能（特に重量エネルギー密度）を示しています。しかし、充放電のCレートではリチウムイオン電池がほかに比べて1桁高い性能で、出力（起電力）と容量の両面で抜きんでたオールマイティな能力を持っていることがわかります。これが、リチウムイオン電池が小型のモバイル機器から大型の電力貯蔵システムまで、幅広い用途に活用されるようになった理由です。そして、私たちの生活を便利で豊かなものにした功績によって、発明者の吉野彰氏らが2019年のノーベル化学賞を受賞しています。

　図7.4-1は、リチウムイオン電池の用途ごとの販売実績と今後の市場予測です。EV用の需要の伸びが大きくて、2017年にはモバイル機器などの小型民生用に追い付き、追い越して、数年のうちにEV用が需要の大半を占める見通しとなっています。この背景には世界的に車両のEV化の流れが着実に進んでいることがあって、車載電池の性能とコスト（注）がEVの競争力を左右するとまで言われています。

　この需要増加の傾向は2050年に向けてさらに加速することが予想され、集約することが出来ればかなりの貯電能力を形成することができます。

（注）文献 (15) によると、ガソリン車並みの航続距離を有するEVでは、車両製造コストの1/3～1/2は蓄電池が占めています。

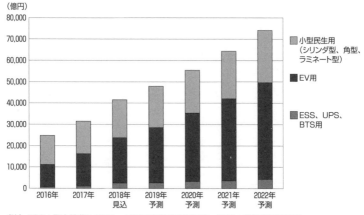

（注）ESS：電力貯蔵システム、UPS：無停電電源装置、BTS：携帯電話基地局

図7.4-1　リチウムイオン二次電池の市場予測 [16]

　以上から、今後の二次電池開発のポイントをまとめると以下
のようになります。
・二次電池市場の拡大を牽引するのは、EV用の二次電池であ
　り、リチウムイオン電池を中心として、性能向上のための研
　究開発が精力的に進められていて、その成果に期待するとこ
　ろが大きい。
・二次電池は電力の需給調整、系統安定化のための大きな潜在
　力を持っていて、スマートグリッドなどの送配電系統の構成
　要素として組み込まれることによって、太陽光・風力などの
　自然変動エネルギーの導入拡大に貢献することができます。
・将来的には自然エネルギーの導入拡大と輸送システムの電動
　化が相まって、エネルギー使用の効率化を通じて自然エネル
　ギー社会を手繰り寄せる原動力となります。

　今後、二次電池の技術開発は自動車および関連部品メーカーが先導する形で進むことは間違いないでしょうから、その動向をよく注視しておく必要があります。

②EV用二次電池の開発について

　陸上輸送系の脱炭素化の有力な手段として注目を集めるEVですが、日産自動車が2010年に本格的な量産車を送り出してから、必ずしも期待通りには販売が伸びていないようです。利用者の立場からは、その主な要因は以下の点にあると言われています。これらはいずれも二次電池の性能に関わるものです。

・電池容量の制約から航続距離が限られる：常に充電ステーションを気にしながら走る
・エネルギー・チャージに時間を要する：チャージのための待ち時間がもったいない
・充放電を繰り返すと電池性能が劣化する：中古車の買取価格が安くなる

　つまり、これらの課題に対する解決策を提示することが次のEV用二次電池の開発目標そのものとなります。表7.4-2に各種の関係資料から、主な開発目標を拾い上げてみました。

　電力系統で使用する定置型の二次電池と違って、車載用では重量やスペースに対する要求条件が一層厳しくなりますので、エネルギーおよび出力に対する開発目標はいずれも重量kgまたは容積L当たりとなります。さらに、エネルギー・チャージ

時間短縮に対する要求から、充電環境が現状よりも過酷になります。また、最近のパソコンや携帯電話の火災の発生事例もありますが、高いエネルギー密度は常に電流ショートによる発火の危険性と隣り合わせです。耐発火性や防爆性については、人の乗り物としての車載用にはさらに厳しい安全性が求められます。

表7.4-2　次世代二次電池の開発目標（代表例）

No.	項目	目標値	課題など
1	エネルギー密度（注）	～700Wh/kg（セル単体）	**航続距離500km以上に相当するバッテリー容量**（現行リチウムイオン電池の2～3倍）
2	出力密度	現状並み	エネルギー密度との組み合わせによる
3	充放電レート	5分程度で80％充電（給油時間と同程度）	現行の急速充電器では約20～30分、急速充電時のサイクル寿命低下
4	安全性・信頼性		発火・爆発の危険性が少ない、非漏液性
5	耐久性	延走行距離10万kmと1000サイクル以上	繰り返し充放電によっても放電容量の低減率が低いこと
6	コスト	ライフサイクルコストがガソリン車と同等	**原材料コスト上昇要注意（Li,Co,Ni供給量の逼迫）**。量産行程未確立（固体電解質・電極製造、電池組み立て）

（注）エネルギー密度で比較すると、ガソリン単体では1万3,000Wh/kg（燃料タンク、配管などを含まず）ですが、さらに燃焼を通じて運動エネルギーに変換すると実際に利用できるのは1,700Wh/kgにまで低下します。それでもリチウムイオン電池に蓄えられるエネルギー量よりはずっと大きくなっています。

　さらにコスト面では、現在はEV補助金などにより何とかガソリン車に対抗できるようになっていますが、大量普及を実現するためには、もはや優遇策に頼ることはできなくなります。量産台数が増えてくるに従って、ある程度は製造コストが下がってくると思われますが、二次電池に使用されるLi、Co等の希少金属については、需給がタイトになり、コスト増加につながることも懸念材料です。

　これらの要求条件はトレードオフの関係になることが多く、いずれの条件も同時に満たすことはさらに難しくなります。その中でも、エネルギー密度に関しては、現状の液体電解質のリチウムイオン電池では性能限界に近づきつつあるとの見方もあり、電解液を固体にした全固体電池、さらには正極に空気中の酸素、負極に金属を使う金属空気電池などの次世代材料の研究開発が鋭意行われています（図7.4-3）。

　この次世代材料の開発から各種性能の確認、製造工程の確立までは５年程度を要するため、現在自動車メーカーなどが2025年頃を目指して研究開発を進めていると見られています。例えば、トヨタ自動車は2020年代の早い時期に全固体電池の実車搭載を目指して、研究開発を行っているとの発表もあります（注）。

（注）東京モーターショー2017でのプレス発表など。

(a) トヨタ自動車 電池研究部の1シナリオ

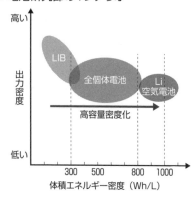

(b) Samsung SDI社のロードマップ

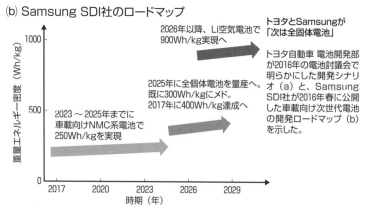

図7.4-3　メーカーの車載用二次電池開発シナリオ [17]

（注）LiB：現状のリチウムイオン電池、NMC系：正極材にニッケル・マンガン・コバルト酸リチウムを使用

③今後の展望

上巻・第Ⅳ章1項（図4.1-1）で述べたように、電力系統でのエネルギー貯蔵目的だけのために二次電池を整備することは効

率が悪くて経済的ではないのですが、EVに搭載されているものが活用できれば、温暖化対策として一石二鳥です。自然エネルギーの導入拡大と変動する電力の需給調整を遂行するために、EVの需要拡大に期待するのはこの点にあります。あとはカーボンニュートラル社会に向けて、以下のように各構成要素が今後どのようなスピードで整備されて活用できるようになるかで、全体のシナリオが変わってきます。

・**EVの普及速度**とそれらを活用した**スマートグリッド**や**電力市場の統合**などで自然エネルギーが自由に流通する環境がどの程度整備されているかが鍵を握ります。また、EVの普及拡大には温暖化対策の観点から、**電力の脱炭素化**がどの程度まで進んでいるかが間接的に関わってきます（上巻・第Ⅳ章5項参照）。

・**変動する太陽光・風力発電の導入割合**がどの程度になるかも考慮する必要があります。特に時間変動の大きい太陽光発電の割合が多くなると、**エネルギー貯蔵システムへの負担**が大きくなります（出力抑制で昼間にエネルギーの一部を捨てる選択肢もあります）。

・揚水発電などによるエネルギー貯蔵を最大限利用した後に、**パワーツーガス**で水素などへの経済的なエネルギー変換・貯蔵量が導き出されます。この時点で分散電源としての**燃料電池、FCV**がどの程度活用されているか、水素ステーションなどのインフラ設備の整備具合はどうかが深く関係してきます。

例えば、2050年に向けて以下の2つのシナリオが想定されます。

【シナリオ1】

　EVの普及が加速して、その二次電池が太陽光・風力などの自然変動エネルギー導入の拡大ペースを上回る場合です。ここでは常にEVのある一定割合は電力系統につながるスマートグリッドの構成要素となり、電力の需給調整や安定化に貢献する理想的な状態になります。そのための政策的配慮が必要ですが、ここではEV二次電池などのエネルギー貯蔵と供給能力を集約するアグリゲータなどの新しい形態のエネルギー・ビジネスが活躍すると思われます。

【シナリオ2】

　二次電池の開発とEVの普及が思うように進まなくて、シナリオ1のように電力系統とのシナジー効果があまり生まれないような場合です。この場合には、EVの二次電池に代わる電力調整（あるいはエネルギー貯蔵）機能を持った手段が必要となります。その筆頭候補が水素などのパワー・ツー・ガスであり、その際はFCVもEVと同じように普及が後押しされて活躍することになるでしょう。また、定置型の電力系統用二次電池など、その他のエネルギー貯蔵手段を総動員する必要性が出てきます。

　現実には、各地域の自然エネルギー資源のポテンシャル、エネルギー需要量、ローカルな送配電系統の配置などの特徴に合わせて、この両シナリオの間で展開してゆくことになると予想されます。そして、最終的には送電系統やその他のエネルギー供給ネットワークが広域でつながることによって、安定したエネルギー供給網となることが期待されます。

5．ブロックチェーン技術

　上巻・第Ⅴ章３項では、電力の"P2P"（Peer to Peer）取引を将来の究極的な姿として紹介しました。これを実現するための基盤となる技術がブロックチェーン技術です。

　目に見えなくて捉えようのない電力を個別に取引すると言われても、イメージが湧きにくいと思います。ところが自然エネルギー電力のような分散型のエネルギー源が増えてくると、最新のデジタル/IT技術を活用することによって意外と使い勝手が良いところが見えてきます。

　まず準備として、スマートメータのような機器を使って、取引される電力を適当に細かく（取引の最小単位で）分割して、デジタルで計量します。これによって、電力という物理量が、取引できるデジタル資産（個人の所有物）に生まれ変わり、価値の移転（取引）が可能となります。次に、取引する電力分に電子的に名前（ID）を付けて、あとは送電者から受電者に向けて電力線を通じて電気を送る（実際には送電線に送り込む）と、瞬時に（実際には他の電源のものと混じって）先方に届き、受電者が受け渡しを完了させます。これと同時にインターネット回線を通じて、取引の内容と決済が送電者と受電者の間で交わされれば、取引完了となります。

　現在は、このような個人間の電力取引は制度上許されてはいませんが、いずれ技術が成熟化してくると、制度が追いついて

きて一般的に使われるようになると思われます。そのキー技術であるブロックチェーンについて、かいつまんで紹介します。

①ブロックチェーンの構造

　ブロックチェーン技術の概念を表したものが図7.5-1です。これは、以前に将来の電力取引パターンを模式的に表した上巻・図5.3-5とそっくりです。両方ともにP2Pと言われますが、ネットワークにつながった個人（あるいはノードと呼ばれるコンピュータ）が真ん中にあった仲介者を通さずに、直接つながっているのが特徴です。

　このネットワーク構造が似通っていることが、分散型エネルギー社会でブロックチェーンが威力を発揮する大きな理由です。

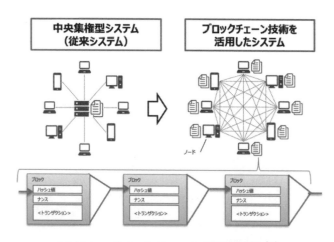

図7.5-1　ブロックチェーン技術の概要 [18]

　具体的な例で考えてみます。例えば、少し離れた所にいる人

に送金しようとすると、相手の銀行口座を確認して、銀行で（あるいはパソコン端末で自分の口座にアクセスして）振込手続きをします。この場合には、左側のように銀行というシステムの中央管理者を通して、なにがしかの手数料を払ってお金を送っています。ここでは私たちが銀行や送金システムに信頼を置いている前提があります。

それに対して、右側のシステムのように直接相手方に送金することになると、システムの信頼性、なかんずく送金手続きの正しさを誰がどのようにして保証してくれるのかなどの不安がつきまといます。これを解決してくれるのが、以下に説明するブロックチェーン技術です。

「仮想通貨」（注）という言葉を聞いたことがない人は少ないと思いますが、「ブロックチェーン」となると未だそれほどポピュラーではないでしょう。ブロックチェーンは仮想通貨の一部分とも思われがちですが、むしろ逆に、より汎用性があるブロックチェーンという基盤技術の上にアプリケーションとしての仮想通貨が成り立っています。インターネットにも匹敵する技術革新に発展する可能性を秘めているという専門家もいます。

（注）普段使っている（法定）通貨とまぎらわしいため、正式には「暗号資産」と呼ぶようになっています。

図7.5-2に示すように、インターネットなどの通信ネットワークの土台の上にブロックチェーンという基盤技術を敷いて、そ

の上に各種のアプリケーションソフト（プラットフォーム）が乗っかっているというイメージです。ビットコインやイーサリアムなどに代表される仮想通貨も、それぞれこのアプリケーションの一種です。

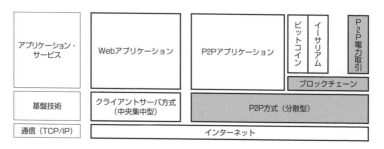

図7.5-2　ブロックチェーン技術の位置づけ：文献[19]を一部改変

②ブロックチェーンの仕組みと特長

　ブロックチェーンの生い立ちですが、Satoshi Nakamotoと名乗る人物が2008年10月に掲載した仮想通貨ビットコインに関する論文（注）が出発点となっています。当時はリーマンショックが世界経済を揺るがしていた最中で、金融機関を中心としたマネー至上主義の経済に対する批判が巻き起こっていた頃です。発明者の狙いは従来の中央集権的な金融システムから解放された自律分散型の仕組みを目指したことにあるのは確かでしょう。

（注）"A Peer-to-Peer Electronic Cash System"、現在もインターネットで閲覧可能です。

　ブロックチェーンは分散型台帳とも言われ、その名称は多数の取引データ（トランザクション）を一つのブロックに束ねたものをチェーン状につなぎ合わせたデータ構造に由来しています。各ブロックのデータ内容は以下のようになっています。

・ハッシュ値：
　各ブロックをチェーン状に結びつけるために必要なデータです。各ブロックをつなぐハッシュ値を求める作業（図7.5-3右端、注1）はマイニングまたはProof of Workと呼ばれます。この作業にはシステム参加者（実際にはシステム参加者の一部でノードと呼ばれる）のうちの専門家（マイナー）がコンピュータを駆使して競争で行い、最初に成功したマイナーに報酬（仮想通貨）が与えられます（注2）。完成したブロックは即座に各ノードに伝達されて、各ノードのコンセンサスによりブロック（取引データなど）の正当性が確認されます。この時点でブロック内のトランザクションが確定します。

・トランザクション：
　多数の取引主体のデジタル署名が付いた個々の取引情報（図7.5-3ではトランザクション#123、#124、#125、…）が束になって格納されたデータの本体部分です。例えば、仮想通貨の送金であれば、送金者、送金先、送金額などがデータ化されています。約10分ごとに個々のトランザクションを集めて、マイナーによって一つのブロックに編集が行われます。

（注1）ハッシュ関数の特性として、入力するデータ（変数x、ナンス相当）がほんの少しでも変わると計算される関数の値（y、ハッシ

ュ値相当）が全く異なる結果になること、すなわちyからxを逆算することはほとんど不可能であること（一方向性）があります。これらはデータ改ざんが見つけやすい、一度起こったことを巻き戻せない性質（不可逆性）として利用されます。

（注2）マイニングで得られた仮想通貨がどんどん積み上がると、やがて価値の低下（インフレ）を引き起こします。そのため、例えばビットコインではブロック生成量が21万を超えるごとに報酬が半減するようになっています。そして、最終的にはおおよそ700万ブロック以降では報酬がなくなり、この時点（2140年頃）で仮想通貨の全体発行量が固定化される仕組みとなっています。

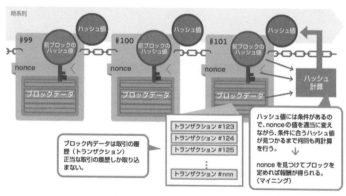

図7.5-3　ブロックチェーンのデータ構造[20]

　このように非常に多くのノードが同じ記録を持っていて、しかも1カ所のデータを変更するだけで前後のデータすべてに大きな影響が及ぶデータ列となっているため、たとえほんの少しでもデータを改変するのは現実的には不可能です。さらに、データを共有する参加者多数のコンセンサスにより取引の真正性が担保されます。分散型のシステムとブロックチェーンのデー

タ構造の掛け合わせが改ざんに対抗する強力な手段となっています。

　これによって、先ほどの送金手続きの例でも、安心して取引ができるわけです。

　以上が、ブロックチェーンの仕組みの核となる部分ですが、実際に使われる場面では以下のようなパブリック型とプライベート型の違いがあります。

・パブリック型：管理者がいなくて、誰でも（許可なしで）参加できます。ビットコインなどの仮想通貨があてはまります。

・プライベート型：参加するためには管理者の許可が必要です。悪意のあるノードの出現をある程度防ぐことができます。

　参加者を増やしてシステムの効率を上げるためにはパブリック型が適していますが、それなりの強固なセキュリティの仕組みが必要となります。想定するユーザーの数や性格（個人、法人、行政機関など）、利用する目的によってふさわしい構成が違ってきます。

　電力取引の場合には、現在のところ後者のシステムを使って、特定の管理者が違法性のある取引を監視する例がほとんどのようです。

　もう一つの便利な機能が、ブロックチェーンにはスマートコントラクト（注）という取引内容を記述したプログラムを付帯させて、コンピュータ上で自動的に実行処理できることです。これも具体的な電力取引のやり方（図7.5-4）を考えると、納得

がいきます。

（注）約束事（ルール）がプログラムとして記述されて、計算機上で自動的に実行処理される契約。

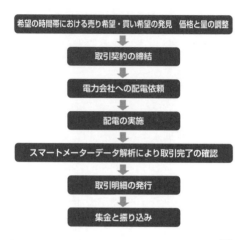

希望の時間帯における売り希望・買い希望の発見　価格と量の調整

取引契約の締結

電力会社への配電依頼

配電の実施

スマートメーターデータ解析により取引完了の確認

取引明細の発行

集金と振り込み

図7.5-4　電力取引の流れは長くて複雑 [21]

　これまでのように消費者が大手電力会社から電力供給を受けていた一方通行の関係では、電力を消費するのにいちいち契約するとか、ましてや電力の売買を個々に契約するなどとは思いもよらなかったことでしょう。でも電力取引を通常の商品と同じように考えると、基本的にはこれだけのプロセスが必要となります。これを30分間などで小刻みに繰り返すとなると、気の遠くなる話です。

　ここでブロックチェーンが登場すると、コンピュータがスマ

ートコントラクトに従い自動的に集計して、仮想通貨などで決済まで済ませてくれます。もし消費者側に要望があれば、時間帯ごとに一番安い電力を取引市場で探し出してくれるかもしれません。原子力発電の電力はいやだという特別な消費者には、どこの発電所で生まれた電力かまでも調べて（トラッキングして）運んでくるといったことも可能です。しかも消費者は事前にメニュー選択と端末をクリックするだけで済ませられます。これが、想定される将来のP2P電力取引の様子です。

　残念ながら、これまでの消費電力の計量・課金システムではこれらの要望に応えることは困難でした。最近のデジタル技術（上巻・第V章3項参照）およびネットワーク技術の進展とブロックチェーンなどの新技術を組み合わせることにより、これらを解決する道が開けてきました。

　ブロックチェーン技術を利用した、大手電力会社や銀行などの第三者を介さない（あるいは支配されない）オープンなネットワークは、システムに参加する人たち（ノード）の合意形成（コンセンサス）が基礎になっています。このような**分散型システムは以下のような特長**を備えています。

・**障害に強い**：分散したデータ管理により、従来型の中央集中システム（コンピュータ・サーバー）がダウンした時のようなリスクが軽減されます。

・**取引の低コスト化**が可能：仲介業者がいないことにより、仲介手数料が省けます。また安価なハードウェアを活用するなどによりシステム構成に工夫をこらすこともできます。

・**取引契約・決済を効率化できる**：スマートコントラクトを付帯することにより、こま切れの取引でもスピーディーに直接取引ができます。

・**透明性の高い取引**が可能：すべてのノードが同じデータを共有することによります。

③ブロックチェーン技術を利用した電力取引の例

　以上のような短い説明では電力取引をイメージするのは難しいと思いますので、少し実例で紹介します。

　図7.5-5は、NRGcoinという欧州の産学連携プロジェクトでのブロックチェーンを使った自然エネルギー電力流通の試行例です。以下のように順を追って自然エネルギー電力（green energy）の取引が進められます。

1．自然エネルギーの供給者（Prosumer）が発電した自然エネルギー電力が配電系統運用者（DSO：Distribution System Operator）経由でエネルギーを必要としている消費者（Consumer）に届けられます。ここで絵の中心にDSOがありますが、送配電を管理しているだけで、取引の仲介をしているわけではありません。

2．消費者からブロックチェーンに備わったスマートコントラクトに則って、一定のレート1kWh＝1NRGcoinで消費量に応じた仮想通貨NRGcoinの支払いの依頼が自動的に行われます。

3．スマートコントラクトは通報された取引の正当性を確認した上で、新しいNRGcoinを"鋳造"して、供給者への報酬を支

178

払います。また、同時に消費者が支払ったNRGcoin の一部がDSOへの託送料金と税金の支払いに充てられます。

4．こうして供給者は手にしたNRGcoinを仮想通貨交換所に持ち込んで通常の通貨に交換するか、自ら自然エネルギーを購入する時などのために貯めておきます。

5．再び消費者は自然エネルギーを購入するために、仮想通貨交換所からNRGcoinを買い求めます。このようなサイクルの繰り返しとなります。

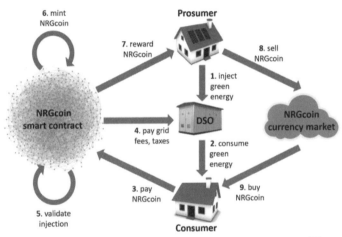

図7.5-5　ブロックチェーンを使ったP2P電力取引の例 [22]

3．の過程では、やはり仮想通貨の発行量をコントロールするために、NRGcoinの鋳造量は時間の経過とともに少なくなるように設定されています。

本例では仮想通貨とブロックチェーンを組み合わせていますが、このほかにもさまざまなやり方が試みられています。再生

可能エネルギーの普及と電力自由化で一歩先を行く欧米諸国では多くの適用事例が報告されています（注）。未だ統一的に普及しているシステムは見られませんが、やがては電力の計量管理方法を含めて、国際的な標準化に向かうものと思われます。

（注）文献[23]には51の事例が掲載されています。

④我が国での具体的な試行例

　我が国ではまだ電力のP2P取引が自由に行われるための社会システムが整ってはいませんが、自然エネルギー由来の電力の環境価値を訴求して、購入するという一部消費者の強いニーズがあります。代表例が上巻・第Ⅴ章5項で取り上げた電力を100％自然エネルギー源から調達することを目標に掲げるRE100などの国際的なイニシアティブに参加している企業です。これらの活動では、購入する電力の発電所やそのエネルギー源構成などをトラッキングして明らかにすることが求められていて、そこでブロックチェーン技術が活躍します。食料品などの原産地証明の電力版と言えます。

　具体例が図7.5-6の「みんな電力」がすでに運用しているシステム（ENECTION2.0）です。この取引で発行される電力の購入証明書は非化石証書の利用と組み合わせることにより、非化石電源由来であることが証明されます（注）。このほかにも、大手電力会社や新電力などが将来のP2P取引を目指して、各種アプリケーションの実証試験を行っています。

このように、当面のターゲットは自然エネルギーのCO_2排出削減に資する環境価値の交換を目的とした取引となっています。いずれは、ブロックチェーン技術によってエネルギーの過不足を融通し合って、分散型の自然エネルギーを効率的に利用する生活が、私たちの社会に根づいてゆくものと思われます。

（注）我が国のFIT制度に基づく再エネの環境価値は、消費者が負担する電力料金の一部に当該の賦課金が含まれていることから、それだけを切り出して取引できません。そのために、別途非化石証書などを購入して、環境価値を取引する必要があります。

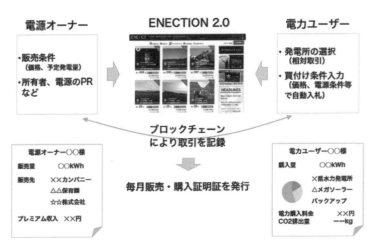

図7.5-6　みんな電力ENECTION2.0の電力取引例[24]

⑤今後の課題

インターネットは開発されてから本格的に普及するまでに約30年の月日を要して、その間に各種の課題を克服して、現在の

社会の基幹ツールとなっています。ブロックチェーンを活用した電力取引については、未だ実施例が少ないので、ここではブロックチェーンを用いた分散型台帳管理について指摘されている問題点を列挙します。

・スケーラブルでない：

　ノード数が非常に多いシステムの場合に、一つの取引をするたびにすべてのノードのデータベースにいちいち書き加えることになります。データ量が増えると大量の処理に堪える規模のネットワークが必要となります。

・Proof of Work（マイニング）にかなり電力を消費する：

　これも仮想通貨のような大規模なシステムでは顕在化してきます。また、一つのブロックを編集するのに10分程度を要するため、速いレスポンスが要求される場合には欠点となります。上記のみんな電力の例では、Proof of Workを使わずに取引データを一つのサーバで集中処理していますので、プライベート型ブロックチェーンで、分散型ネットワークには該当しません。

・ユースケース（利用例）がまだ限られている：

　新しい社会システムが普及すると、わずかな隙間を狙った悪意のノードが出現してきます。そのため電力取引のように生活基盤となるシステムへの新技術の導入に際しては、いろいろなアプリケーションで実施例を積み上げた上で、脆弱性のない完全なシステムを構築する必要があります。

6．CNFと人工光合成

　セルロースナノファイバー（CNF）は、植物の細胞壁を構成するセルロースに各種の処理を施して繊維を解きほぐし、極細の繊維状（注）にした材料です。これが今注目されているのは以下の理由からです。

・私たちの身近にある木材などから採れるため枯渇する心配がなく、リサイクルも可能な材料である。

・CO_2排出を伴わない環境負荷の低い素材であり、最終的には燃やして熱エネルギーに換えることもできる。

・木材などの廃材利用で、資源循環（サーキュラー・エコノミー）に貢献できる。

（注）繊維直径数nm〜数十nm（ナノメートル）、長さ0.5〜数μm（マイクロメートル）。木材の40〜50％はセルロースでできています。

　また、いくつかの優れた特性を備えているため、それを活かした幅広い加工法も開発されていて、いろいろな製品への適用が考えられています。その一例が、CNFのファイバー特性を活用して樹脂と混合したCNF強化複合材であり、構造材の軽量化につながるものと期待されています（注）。図7.6-1のように、トヨタ自動車は自動車のさまざまな部位にCNF製部品を適用することを検討しており、既に実車にも搭載されています。

（注）航空機などの軽量化構造材料として使われている炭素繊維強化複合材（CFRP）は、製造時に多くの電力を消費し、重量当たり鉄の10

倍以上のCO_2を排出すると言われています。特性の違いがあり直接は比較できませんが、CNFはより環境に優しい素材です。

課題は何と言っても経済性で、素材の量産化と製品加工段階での取り組みによって、既存の材料と競争できるレベルまでコストを下げられるかにかかっています。

図7.6-1　自動車向けに開発されたCNF部品 [25]

次が**人工光合成**です。

図7.6-2に、人工光合成のイメージを本物の光合成と比較して示します（上巻・第Ⅰ章2項参照）。植物の光合成ではCO_2を吸収し、太陽光のエネルギーで水と反応させて、糖などの生命活動に欠かせない物質に変換しています。この過程で化学エネルギーが植物体内に蓄えられます。しかし、光合成の光化学的

なプロセスそのものを完全に解明して、それを精確に真似ることは現在の技術でも非常に難しいと言われます。

　また、光合成は言わば植物の生命活動全体に関係していて、糖などの炭水化物を生産するエネルギー効率（注1）だけを取り上げると、平均的には0.2〜0.3％程度とあまり高くありません。したがって、そのプロセスをそのままトレースするだけでは実用性に乏しく、例えば図7.6-3のように分離・回収したCO_2などと反応させて、最終的にいろいろな有用物質を造りだすことが研究されています（カーボンリサイクルまたはCCUS:CO_2 Capture, Utilization and Storageと呼ばれます）。現在はまだ高々数％のエネルギー効率のレベルを2021年中に10％程度に引き上げる研究開発目標（注2）が掲げられています。

（注1）生成物に蓄えられた化学エネルギーを、照射された太陽光のエネルギーで割った値。

（注2）新エネルギー・産業技術総合開発機構（NEDO）の大型プロジェクト（〜2021年度）での目標値。

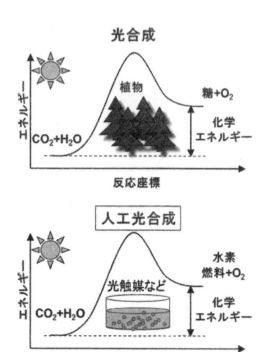

図7.6-2　光合成/人工光合成のイメージ[(26)]

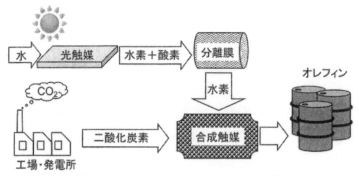

図7.6-3　カーボンリサイクルの一例[(26)]

　以上のほかにも、分離・回収したCO_2を投入してミドリムシなどの光合成を行う微細な藻類の培養を行うことにより、バイオジェット燃料を製造するプラントが実証段階にあります。いずれも変換効率とコストの壁を乗り越えられるかが課題となっています。なお、以前話題になったトウモロコシなどの農作物からバイオ燃料を製造する方法も行われていますが、食料生産との競合問題のほかに、やはりコストが課題で、最近はやや下火になりつつあります。

　なお、CO_2分離・回収の大規模な取り組み（CCS）は以下の8項で取り上げますが、物理学の基本原理から、**CO_2の分離・回収工程にはその濃度に応じてエネルギーの投入が必要**となります。上巻・図4.4-4で見たように、火力発電所にCCSを付加した場合には相当の発電コスト増加が発生します。熱エネルギーを取り出すために化石燃料を燃焼させてCO_2を空気中に放出して、もう一度エネルギーを消費してCO_2を分離・回収する（注）という、かなり非効率なエネルギーの使い方をすることになりますので、経済性も犠牲になります。

　例えば、石炭火力ボイラーの排気ガスからの分離・回収プロセスのみのコストは現状4000円/トン・CO_2程度と言われますが、CO_2の吸収に固体吸収剤を利用する方法により、まずはコスト半減を目指して研究開発が行われています。

（注）資料[27]では現行（化学吸収法）のCO_2回収の所要エネルギー
　　　2.5GJ/t・CO_2（＝690kWh/t・CO_2）を2030年（固体吸収法など）に
　　　1.5GJ/t・CO_2（＝420kWh/t・CO_2）に低減することを目指していま

す。因みに、1世帯当たりの年間電力消費量が約3000kWh、一人当たりの年間CO_2排出量が約10トンですから、CO_2回収にはかなりのエネルギーが必要であることが判ります。なお、これらは発電所の燃焼排ガス、製鉄高炉ガスから回収した場合に相当し、一般大気からの回収ではさらに多くのエネルギーが必要となります。

ここでカーボンリサイクルの意義について、回収したCO_2をどのように使ってゆくかという視点から少し考えてみます。資料（27）によると、その主な用途は燃料としてのエネルギー利用、有用物質に変換するマテリアル利用に大きく分けられます。

【エネルギー利用】
将来の脱化石燃料社会では、主なエネルギー源は電気に変換された自然エネルギーとなります。一方、化石燃料などの燃焼で発生したCO_2は上巻・図1.2-1のように、非常にエネルギー状態の低い物質です。これを出発点として、図7.6-2、図7.6-3のように、エネルギーレベルの高い物質に変換するとしても、結局は太陽エネルギーのような別のエネルギー源が必要となります。そして、この太陽エネルギーを取り出す素子としては、太陽電池の効率を超えるものは実現が難しいと思われます。CO_2をエネルギー物質として利用する場合にはこのようなジレンマに陥ることになります。

つまり、CO_2をエネルギー用途に利用できるのはかなり限られた条件に当てはまる場合で、その代表例が、大型の長距離輸送機器、とくにジェット燃料としての利用です。上巻・図4.1-1

を見返すと、改めてエネルギー密度の面で電気エネルギー貯蔵に対する液体燃料の優位性が判ります。ここでジェット燃料を合成する際の炭素源としてのCO_2の利用価値がクローズアップされます。

　航空機燃料の脱炭素化は経済的にも非常に難しくて、現在上記のようなバイオジェット燃料が部分的に試行されていますが、未だ根本的な解決策となっていません。欧州では、ジェット燃料の代わりに水素燃料を使用する機体の研究開発が進められています（注1）が、やはりエネルギー体積密度に劣る水素燃料の搭載は機体の設計にかなりのハンディキャップを負わせることになります。従って、航空機の運用全体を考えた場合に、燃料の製造から運航までの経済性などの条件をクリアすれば、CO_2を活用したジェット燃料の可能性が見えてきます（注2）。

（注1）欧州エアバス社は水素航空機"ZEROe"を2035年までに実用化することを目指しています。
（注2）航空機の脱化石燃料は世界的に重要なテーマですが、輸送部門全体のエネルギー消費に占める航空機の割合は4％程度です（上巻・図4.5-1）。

　ジェット燃料に加えて、もう一つの例としては燃料の輸送・貯蔵や現在の内燃機関との適合性の観点があります。例えば、自然エネルギー源を使って水の電気分解で造った水素を輸送・貯蔵して、利用する際に、CO_2を使ってメタン等の炭素化合物に変換した方（メタネーションなど）が使いやすい場合が考え

られます。自然エネルギー社会への移行過程では、このような利用法も選択肢になります。

【マテリアル利用】
　現在は化石燃料を原料とする化学製品や素材などを、回収したCO_2を利用して製造する方法に置き換えることができないかについて各種の検討が行われています。個々の技術の詳細は措いて、回収したCO_2を利用する主な狙いは次のようなものです。
・大気中に排出されたCO_2を回収して、固定化する
・従来のCO_2排出を伴う製造プロセスを置き換えて、CO_2排出を抑える

　これらの効果は各種の材料製造などに適用して改善量を積上げることも考えられますが、やはりそれなりの効果を発揮するにはボリュームが必要です。実際に製品などとして使われたボリュームによって、ある程度カーボンリサイクルの効果を推定することができます。特に、私たちの現在のCO_2排出量の大きさを考えると、日常生活などで汎用的にかつ大量に使用しているもので、できれば長い間使い続ける耐久消費財のようなものを代替するのが理想です。従って研究開発のテーマとしては、セメント（コンクリート）製造への適用などが候補に挙がっています。

　自然界でこのような条件を満たす代表的なものが、木材です。つまり、CO_2の大きな吸収源であって、建築資材などとして長期に亘って、大量に使い続けることができます。このように考

えると、人間と自然の知恵比べのようなところがあります。

　自然エネルギーがあり余る国や地域は別として、**大量のエネルギーが必要な本手法にあまり大きな期待を寄せるのは難し**そうです。

7. 水素利用（パワーツーガス）と水素発電

上巻・第Ⅳ章9項でも顔を出した、水素あるいはメタンやアンモニアなどへの変換を含めたパワーツーガスですが、脱化石燃料社会では電気に次いで、エネルギー・キャリアとしての期待がかかります。北海道・東北地方に偏在する風力エネルギー、山村地域に豊富にあるバイオマス・地熱エネルギーを都市部の消費地まで届けるために、現状の送電線での電力輸送だけでは容量が不足する場合には、水素などにエネルギー変換して輸送することが考えられます。さらに長期にわたるエネルギーの需給調整や大規模災害などに備えてのレジリエンス強化のために、各地の水素ステーションでの備蓄は重要となります。

水素の利用法は、主に以下のようなものが考えられます。特に、水素を発電に利用する場合には、かなりまとまった量が必要になりますので、合わせて輸送や貯蔵手段の整備が必須となります。図7.7-1が水素を生産してから、私たちが利用するまでの主なフローです。輸送・貯蔵時の取扱い性向上のために、一旦トルエンなどの有機化合物と反応させる（有機ハイドライト法）こともあります。現在は海外の化石燃料などに頼っている製造をやがては再生可能エネルギーに由来するものへとシフトしてゆくことになります。

・材料製造プロセス：製鉄などの還元材料、CCUS、半導体製造など
・燃料電池の燃料：輸送用機器（燃料電池自動車）、産業・家庭用の分散型電源

・水素発電：水素ガスタービン

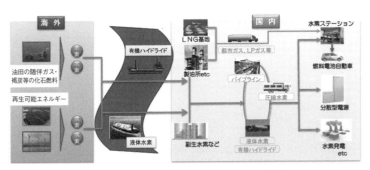

図7.7-1　水素の製造から利用まで [27]

　以下では少し技術の詳細になりますが、水素ガス発電の技術課題について、ポイントを要約します。

　なお、再生可能エネルギーを出発点とする水素を再度電気に変換する際にはかなりのエネルギー損失を生じます（上巻・図4.9-5参照）。従って、水素利用の本来の目的は上記のように、他の方法では実行が難しいようなエネルギー・キャリアとしての役割を果たすことであることを再確認する必要があります。

　水素ガスを燃料とする火力発電用ガスタービンは、天然ガスを使用するものと概ね同じ構成で、圧縮機とタービンはほとんどそのまま使えますが、下記の水素ガスの性質により、燃焼器を新たに設計し直す必要があります。

・水素の燃焼温度が高くて、NOxが大幅に増加する（注）。

・水素は燃えやすい（燃焼速度が速い）ため機器の焼損を引き起こし、安定燃焼が難しい。

これらの課題を解決するため、空気に対して燃料の割合を下げた予混合燃焼（リーンバーン）や、水素火炎領域を細かく分散する燃料噴射・混合方法などが検討されています。2030年には100％水素ガス（水素専焼）のガスタービンを実用化する目標（NEDOによる）ですが、ここでも天然ガス火力などと比較した場合の発電のコストアップ克服が大きな課題です。

（注）燃焼ガスの高温化はガスタービンの性能向上には寄与しますが、燃焼時に発生するNOxが急激に増えるというトレードオフの関係にあります。

8．大気中のCO₂の固定化・貯留

今まではいかにしてCO₂の排出を減らすかに知恵を絞ってきましたが、これまでに化石燃料を地中から掘り出すことによって増えてきた大気中のCO₂を、地中や海洋中に固定化するのを人為的に促進するというアプローチも考えられます。我が国のように狭い国土に人口と産業が集積している場合には、当面は最も重要で有効な温暖化対策はCO₂排出削減ですが、CO₂の固定化対策も頭の片隅に置いておく必要があります。

産業革命以前のCO₂排出が少ない時代には、陸地の森林などがCO₂を吸収して排出とバランスしていたはずですが、現在のように排出量が増えてくるととても賄いきれません。CO₂の吸収側から何とか助け船が出せないかということで検討されているのがCCSであり、さらに最近話題に上るようになってきたのが海のブルーカーボンです。

二酸化炭素回収・貯留（CCS：CO₂ Capture and Storage）は言葉の通り、化石燃料の燃焼などから生じたCO₂を分離・回収して、地中や海底などに貯留する方法です。CO₂が増えてきたと言っても、まだ大気中のCO₂の濃度は0.04％程度と極めて小さく、実際の回収は火力発電所、製鉄高炉、製油所などの大規模なCO₂発生源に特殊な分離・回収装置を取り付けて行われます（注）。

この手法は、CO₂の分離・回収と地中などへの輸送・貯留のプロセスから成り、各々でかなりのエネルギーとコストを費や

すことになりますので、その効率と経済性をどこまで上げられるかが大きな課題になります。

（注）火力発電所の排ガス中のCO_2濃度は3〜14％、製鉄所高炉の排ガスでは22％程度です。この濃度に応じて、回収に必要なエネルギー、コストが変わってきます。

　図7.8-1は北海道苫小牧の沖合の海底で行われているCCSの実証試験の概要です。分離・回収されたCO_2は専用パイプラインで輸送された後、地上から高圧で地下1000〜3000ｍの地層（帯水層）に圧入されます。分離・回収から貯留に至るまでの各プロセスの効率的（経済的）な方法の技術開発と実証が進められています。

　これらの技術の確認とともに、永続的に安定してCO_2が貯留できる地層を事前に調査して探し出しておくことが必須となります。図7.8-1のように帯水層は砂岩などのできるだけ空隙の多い地質であって、それを泥岩などの遮蔽層がすっぽりと覆ってガスなどが漏れることのない、かつ地震などでも壊れることのない堅牢な地層であることが求められます。残念ながら、我が国周辺にはこのような条件を満たす広大な地層は少ないようです。
　これだけ大がかりな設備ですから、かなりのコストがかかりますし（注）、将来にわたって施設の管理やモニタリング、事故発生のリスク管理などの問題がつきまといます。再エネの発電コストもかなり高かった一時期には、欧米諸国でCCSの研究

開発が行われていましたが、再エネコストが安くなった現在は、油田などでのCO$_2$圧入による石油・天然ガスの生産増強に使われている（EOR）のがほとんど唯一の実用化例です。

（注）CCSを付属すると火力発電コストが45～70％高くなるとの推定（グローバルCCSインスティチュートによる）があります。また、大規模な石炭火力発電所は1カ所で年間に500万トンのCO$_2$を排出し、CCSのコストはCO$_2$・1トン当たり7300～1万2400円と推定されています（地球環境産業技術研究機構による）。

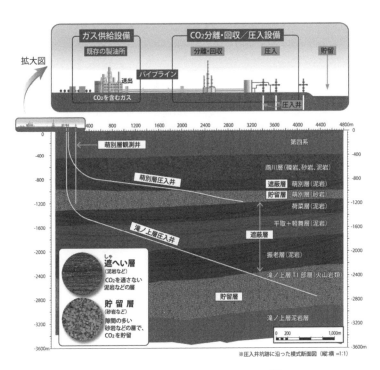

図7.8-1　CCS実証試験の全体像[(29)]

CCSを実際に有効なCO_2吸収システムとして機能させるためには、各工程で消費される多量のエネルギーの他に、膨大なインフラと全く新しい産業が必要になると言われます。上巻・第Ⅰ章４項で述べたように、私達人類が造りだした大きな炭素循環の流れの幾分かでも埋め合わせるだけのボリュームの流れを、人為的に科学技術の力で生み出すことができるかはよく考える必要があります。

　文献[30]では、「CCSは技術的にも商業的にも実現不可能であることが明らかになった」との評価がなされています。
　CCSは次に出てくる気候工学のように、自然環境そのものを直接制御しようとするものではありませんが、上記ように永続的な管理が必要となり、持続可能性の面でも問題が残ると考えられます。

　CCSとはかなり趣が変わって、**ブルーカーボン**は浅海生態系の保全や再生によりCO_2吸収能力を上げて、CO_2濃度の増加を少しでも緩和しようというものです。海洋生物の作用によって大気中から海中に吸収されたCO_2由来の炭素のことを「ブルーカーボン」、これに対して陸上植生が吸収したものを「グリーンカーボン」と言うこともあります。

　実際には太陽の光が届く水深20mくらいまでの沿岸の植生域（図7.8-2）に相当する塩性湿地、海草・海藻場、マングローブ林などが主な対象となります。我が国ではアマモに代表される

海草は長寿命（平均60年、株は1000年以上とも言われる）で、海水に溶解したCO_2を吸収して生物体内に蓄積してくれます（注）。これがやがて海底に堆積し、長い時間を経過して、深海域へと運ばれ貯留される炭素循環の一部となっています（上巻・図1.4-2参照）。

（注）海洋全体に存在する炭素量は38兆トンで、大気中の50倍程度もあり、地表面の生物圏で最大の炭素貯蔵庫となっています。

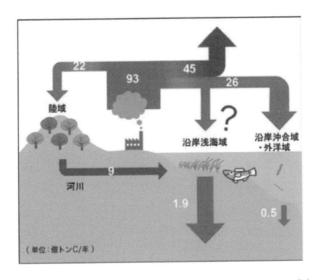

図7.8-2　炭素循環におけるブルーカーボンの位置づけ[31]

我が国は全長3万5,000km、世界6位の海岸延長線を有することから、これまであまり考慮されてこなかったブルーカーボンの貯蔵に期待がかかります。しかし、CO_2を吸収して炭素を

固定化するプロセスについては未知の部分も多く、森林のようにCO_2吸収源として国際的に認められるためには、測定法の開発、観測データの蓄積などの基礎的な調査研究から積み上げる必要があります。図7.8-3が我が国の現時点でのCO_2吸収量の推定値ですが、未だ大きな誤差を伴っています。

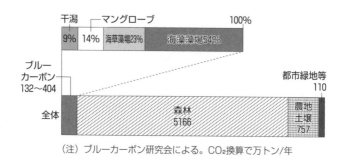

（注）ブルーカーボン研究会による。CO_2換算で万トン/年

図7.8-3　ブルーカーボンによるCO_2吸収量の推定[(32)]

9．CO_2以外のGHG排出削減

　CO_2以外の主なGHGとしては、上記のフロンまたは代替フロン類のほかにメタンCH_4、二酸化窒素N_2Oがあります。これらのGHG排出量そのものはCO_2に比べてずっと少ないのですが、温室効果が強い（CH_4：CO_2の25倍、N_2O：同298倍）ことが効いてきます。CO_2換算量で比べると、我が国ではこれらを合わせても7％程度ですが、世界全体では1/4程度の割合を占めています。

　メタンは湿地や海洋から植物などの腐敗・分解によって自然に排出されていて、森林火災でも発生すると言われます。最近専門家が注視しているのは、このまま温暖化が進行するとシベリアや北極海浅海の永久凍土からメタン（注）が大量に排出されるのではないかということです[33]。これは温暖化がもたらす典型的なプラスのフィードバック現象で、温暖化の進行を加速します。また、人為的な要因では天然ガスや石油・石炭の採掘や輸送中の漏洩で放出されています。

（注）メタンは水分子と結合してシャーベット状のメタンハイドレートになっています。

　農業関係では、牛などの反芻する家畜の飼育や水田耕作に伴って大気中に放出されています。畜産の盛んなオーストラリアなどでは、遺伝子操作により「ゲップ」の少ない種牛を創り出す研究をしているとのことですから、酪農が盛んな国ではそれだけ家畜からのメタン排出削減対策が重要だということです。

N₂Oは化石燃料の燃焼などの産業活動によっても排出されますが、農業での化学肥料の使用が深く関係しています。かつては植物の成長に欠かせない元素である窒素、リン、カリウムなどは人間や動物の排泄物、草木灰などの有機肥料として補給していましたが、近年窒素化合物などの化学肥料の発明（注1）が農作物の飛躍的な増産をもたらしてくれました。窒素肥料の製造では空気中の窒素を固定化するために、世界全体では常時原発150基分に相当する大量のエネルギーを消費していると言われます[34]。そして、農耕の際に過剰に使用された窒素肥料の成分は河川や海洋に流出して、栄養塩による富栄養化や脱窒過程（注2）で生じるNO₂と貧酸素化などの複合した環境問題にもつながっています。

（注1）20世紀初めに発明されたハーバーボッシュ法では、空気中に安定して存在する窒素を高温高圧条件下で反応させることによって固定化します。
（注2）土壌中の窒素化合物（硝酸塩）は微生物の働きにより、窒素、二酸化窒素に換わって空気中に放出されます。

　このように農業生産がGHG排出に関わっていて、その対策としては有機農法や不耕起農法（土壌に貯め込んだ炭素を掘り返さない手法）の拡大などが挙げられています。しかし、これらの方法が化学肥料や大規模機械化で生産性が大きく向上した現代の農業にどこまで取り入れることができるのかは、専門外の筆者からは想定し難いところです。

10. 気候工学 (ジオエンジニアリング)

　増え続けるGHG排出による温暖化を抑制するために、**テクノロジーの力で意図的かつ大規模に気候システムを改変**しようという試みを**気候工学**と呼んでいます。現在考えられている代表例としては以下のものがあり、いずれも自然エネルギーの大量導入などの抜本的な温暖化対策に比べてはるかに低コストで実施できると主張されています。

・太陽放射管理法①：航空機などを使って、成層圏に硫酸エアロゾル (微粒子ミスト) などを大量かつ継続的に注入して、太陽光を散乱・反射して日傘のような効果を作り出します。この冷却効果はピナツボ火山噴火などでも確認されていて、それを人工的に再現しようというものです。
・太陽放射管理法②：①に比べてもう少し環境に優しい方法として、微細な霧状の (海) 水粒子を海上の船舶などから継続的に噴き上げて、低層に白色の雲を発生させる方法です。
・CO_2除去法：海洋に鉄粉を大量に撒き、植物プランクトンを増殖させて光合成 (CO_2吸収) を促そうというものです。鉄粉1トン当たり、数万トンの炭素が海中に固定化できるとの推定があります。

　これらの手法では本当に望むべき効果が得られるかを事前に確認することはもちろん必要ですが、実際に適用する際には人間が地球規模でかつ継続的に気候システムに手を加え続けなければならないという点で**持続可能な手段とは言えません**。さら

に、あらかじめ予測し難い危険性や環境上の副作用がないのかどうかは確認できないために、出たとこ勝負の感は否めません。

　したがって、大方の専門家は気候工学の適用には否定的で、「最後の手段」として取っておくぐらいが現状の認識のように思われます。

Ⅷ. 自然エネルギー社会実現に向けて

１．我が国の現状見通しと課題

①地球温暖化対策の要諦

　これまで地球温暖化問題を克服して、自然エネルギー社会を実現するためのいろいろな方法について考えてきました。ここで改めて、地球温暖化を招く温室効果ガス（GHG）の排出を減らし、近い将来に自然エネルギー社会を実現するために、その骨子について整理します。

・我が国の場合には**GHGの93％がCO$_2$排出によるもの**ですが、さらに**CO$_2$排出のうち９割以上がエネルギー起源**となっています。したがって、私たちがエネルギー消費を抑える意識を持って日頃の省エネ、節電活動に取り組むことが出発点となります。
・CO$_2$排出を減らすための方法には、主にエネルギーの効率的な利用と**石油・石炭などの化石燃料を自然エネルギー由来のものに置き換えること（脱化石燃料）**があります。私たちが手にする製品やサービスは、製造などの過程で既に化石燃料が消費されていることが多いため、CO$_2$排出の少ない製品・サービスなどを選ぶこととともに、**まず身近な省エネ、節電**などの活動に取り組むのが効果的です。
・**エネルギー利用効率化のために、動力や熱エネルギー利用を**

205

電気エネルギーとしての利用に置き換える方法（電化）が有効です。合わせて、使用する**電気エネルギーを自然エネルギー由来とする**ことによって、脱炭素化が実現されます。ただし、高温の熱利用などでは電気エネルギーの使用はかえって効率が低下する場合もありますので、状況に応じた判断が必要となります。

・製品などを造るための**各種素材の生産**には、超高温での熱エネルギーが必要となるものが多く、反応プロセスの中で発生するCO_2とともに**産業分野での主たるCO_2発生源（約7割）**です。**鉄鋼などの資源リサイクル**で、CO_2発生を抑える社会の仕組み（**サーキュラー・エコノミー**）に移行する必要があります。

・各種のGHG削減の対応策は、これ以上次世代への負担を積み残すことがなく、しかもその効果が永続するように「持続可能性」の面から検討されるべきです。

・これからの自然エネルギーの導入拡大とエネルギーの効率的な利用は、**電力の需要と供給のバランスをうまく取ることが**できるかにかかっています。現状の揚水発電から始まって、蓄電池や水素などへのエネルギー変換と貯蔵（パワーツーガス）、デジタル技術やIoT/AIなどの最新技術と電力市場の統合によって、最適なエネルギー需給調整システムの実現が期待されます。

②脱炭素化を実現するために

　パリ協定の要請を受けて、政府は2019年6月にGHG排出削減の長期的な戦略を国連に提出しています。その中では、「2050

年までにGHG排出の80％削減を目指す」、さらには「今世紀後半のできるだけ早期に"脱炭素化社会"（GHG排出ゼロ）を実現する」などとされています。そして、昨年（2020年）10月には首相が「2050年にGHGの実質的な排出ゼロ」を所信表明しました。

　そこで、自然エネルギーを最大限活用した場合の電力の需給見通し（2050年）によって、どのようにして脱炭素化が実現できるのかを考えてみます。ここでは、「2050年のCO_2（≒GHG）排出の80％削減」の可能性について検討された２つの例[1][2]、および「2050年のCO_2排出ゼロ」を目標とするシナリオから導き出された電源構成[3]を表8.1-1にまとめました。

　これら３つのケースでは将来の電力需要の見通しに多少の差異はありますが、いずれもエネルギーのほとんどを電力として利用することを基本としています（イメージは上巻・図4.5-5の通りです）。上巻・第Ⅳ章１項で示したように、自然エネルギー社会では、電力でのエネルギー供給をベースとして、エネルギー全体の需給を考えることになります。前２者のケースでは最小限の化石燃料や原子力発電の活用も考えていますが、後者では100％自然エネルギーの使用が前提で、一部の熱エネルギーはバイオマスや太陽熱などで賄う計画です。

表8.1-1　2050年・CO₂排出削減のケーススタディ

算定機関		東京電力・経営技術戦略研究所	電力中央研究所	WWFジャパン	現状（2018年度）
電力需要（億kWh)(注1)		12000	11100	10000	10512
発電電力量（億kWh)(注3)(注4)	石炭	4200	0	0	3324
	LNG		1930	0	4029
	原子力（注2）	1200	2188	0	649
	水力	7339（太陽光2.725億kW、風力0.7億kW）	1441	1352	810
	太陽光		**3866**	**4867**	963
	風力		1711	2420	
	地熱			610	
	バイオマス		1040	490	
	波力	0	0	260	—
2013年比のCO₂削減率（％）		72	80	100	—
備考		・CCS使用せず ・再エネ出力抑制なし	・CCSでCO₂/3000万トン回収（注5） ・再エネ出力抑制なし	日本太陽光発電協会目標3000、日本風力発電協会目標1880を超える	エネルギー白書2020による。他に石油等737億kWhあり

（注）

1．東京電力は以下のような**最大限の電化**を仮定。電力中央研究所も概ね同様と想定される。

　・家庭用・業務用の熱需要をヒートポンプなどによりすべて電化。自動車もすべて電化する。

　・航空機・船舶は従来通り化石燃料を利用。

・産業用は、熱需要のうち100℃以内のもの、蒸気用途のものは、すべて電気加熱を利用。
2. 電力中央研究所のケースでは原子力発電比率18%を想定し、原子力発電所の新増設が必須。
3. 東京電力、電力中央研究所のケースでは揚水発電所の最大限の活用が織り込まれていると思われる。
4. **再エネの出力抑制をゼロにするために必要な蓄電池能力**として見込んでいるのは、東京電力は4.8億kWh（**EV4000万台の20%相当**）、電力中央研究所では2.2億kW（**発電設備容量の26%**）。WWFジャパン以外のケースでは発電電力量の合計と電力需要量が一致しない。
なお水素によるエネルギー貯蔵はコストが高いため使用してない。
5. CCSで回収されるCO_2量は素材産業からの排出量の約1/3に相当する大規模なもの。

　これらの結果から以下のように、これからの自然エネルギーの大量導入（自然エネルギー社会）に向けての大まかな方向性が読み取れます。

（ⅰ）水力・バイオマス・地熱発電導入量：全発電量の20〜25%

　第Ⅵ章で見たように、最大の年間水力発電量は降水量などの自然環境条件で決まってきます。将来のバイオマス発電量も木材等の持続可能な流通量が決定要因です（注）。地熱発電についてはこれまで触れませんでしたが、我が国は世界でも有数（第3位）の地熱エネルギーのポテンシャルを持っています。しかし、資源開発に際して考慮が必要なのは地熱資源のほとんどが火山地帯の国立公園などに位置していて、自然環境との調和や

温泉などの熱源利用で地域社会との協調を優先しなければいけないことです。したがって、利用可能な地熱資源量は導入ポテンシャルの一部として見積もられます。

（注）長期的には、バイオマス燃料はすべて国内調達と考えます。

　このような制約条件があるため、いずれの算定においても、水力・地熱・バイオマス発電を合わせて全発電量の20〜25％程度に落ち着いています。特に割合として大きいわけではありませんが、いずれも計画的あるいは安定的に電力供給が可能なエネルギー源であるため、需給調整の面からこれらの発電能力の向上はとても重要です。

（ⅱ）太陽光発電が電源の主力：全発電量の30〜35％

　そこでどうしても、太陽光発電の拡大に大きな期待がかかることになります。

　FIT制度により、最も早く導入が進んだのが太陽光発電です。その効果もあって、最近では顕著な発電コストの低下が見られます（注）。2050年時点では、このコスト低下傾向の外挿により、さらなるコストダウンが想定されることから、大幅な発電量の増加が見込まれています。いずれのケースにおいても、太陽光による発電量が全体の1/3〜1/2を占める結果となっています。

（注）例えばFIT買取価格は、産業用では40円/kWh（2012年）⇒14円/
　　　kWh（500kW未満：2019年度）のように約1/3に下がっています。
　　　また、近い将来に既設の設備でFIT期間満了のものが電力市場にな

だれ込んでくるため、さらにコスト低下の要因となります。逆に、今後の新設分については適地が少なくなるため、さらなるコストダウンと量的拡大の両立は次第に難しくなるものと思われます。

一方、全電力の約1/3を太陽光発電で賄うには、広大な敷地が必要です（第Ⅵ章２項参照）。現在既に、太陽光発電設備の敷地崩落・景観破壊などで地域住民との間でトラブルを引き起こしている例もあり、一部の自治体では実質的に導入を規制する動きもあります。今後も順調に導入を拡大してゆくためには、上巻・第Ⅴ章４項のように地域住民の理解と信頼がどうしても必要ですし、さらに地域コミュニティが設備導入や運営に積極的に関わってゆくことが、今後のスムーズな展開の核心となります。

また、林地や休耕田を活用する計画もありますが、将来の農林業との関係を含めて、限られた国土をどのように利用するかの総合的な観点での整理が必要です。最近のデータによると、食料と木材の国内自給率がともに37％と報告されていて、主要国には例を見ない低さです。この自給率の低さは、また炭素の循環を通じて、エネルギーや地球温暖化問題とつながっています（第Ⅵ章４項参照）。

太陽光発電設備の規模感を掴むために、導入ポテンシャルに基づいて算定された電力中央研究所のケースについて、発電所に必要な面積（住宅の屋根などを含む）を概算すると、以下のようになります。

・発電量3866億kWh⇒発電容量は3866億kWh/（365×24×0.12）h＝3.7億kW

・将来の太陽電池の性能向上（～1.5倍）を含めて太陽光発電には1MW（0.1万kW）当たり、約1ha（0.01㎢）の面積が必要なため、⇒必要な太陽光発電所の面積は3700㎢

　これは国土面積の約1％、東京都の面積の1.6倍に相当します。太陽光発電の稼働率0.12（注）が低いために、これだけの広い面積を占有することになります。

（注）発電量の抑制、送電・蓄電時の損失、発電所の適地が少なくなることなどによる稼働率の低下を考慮しています。

　さらに、電力中央研究所の推算では、太陽光発電の導入ポテンシャルとして戸建住宅用とメガソーラーなどの地上設置用に分けて地域ごとに積み上げていて、住宅用合計は1億6,649万kWとなっています。これは屋根上への平均的な設置容量5kW/戸と考えると、約3000万戸（国全体の世帯数は約5000万）に太陽光発電設備を設ける規模で、実現は容易ではありません。このように太陽光発電導入ポテンシャルに対して、現実的な導入可能量は一段低いレベルにある点には注意しなければなりません。

　太陽光発電を推進する業界団体の日本太陽光発電協会は、最近2050年の太陽光発電導入目標に従来の200GWに加えて、最

大化ケースとして300GWを追加しました[4]。この場合の年間発電量は、300GW×（365×24）h×0.12≒3000億kWhとなり、この辺りが2050年の現実的な最大導入量と思われます。

（ⅲ）風力発電は洋上風力をどこまで伸ばせるか次第：全発電量の高々20％？

風力発電は第Ⅵ章3項で述べたように、太陽光とは違って、エネルギー資源が東北・北海道地方と洋上に偏っているのが悩ましいところです。したがって、これらの地方から首都圏などへの送電線の整備、洋上風力発電の低コスト化技術の開発などで経済的な導入量をどこまで伸ばせるかが鍵となります。

最近、立法化などによって候補海域の利用方法が具体化され、これから、洋上風力発電の開発が本格的に進められようとしています。資源のポテンシャル量そのものはかなりありますが、そこから経済的な導入可能量を見通すのは難しそうです。これも業界団体である日本風力発電協会の2050年導入目標1880億kWh（同協会ホームページによる）が目安となります。

なお参考までに、同じ変動電源である太陽光発電との間では、年間の発電量の割合を太陽光：風力＝3：2にするのが最適であるとの検討結果もあります[5]。これは、年間の電力需要量と全国各地の気象条件を時間ごとに追って、需要供給の差異が最も少なくなる分担比を求めた結果です。太陽光が春〜秋の昼間に、風力が冬季に主として活躍することから、両者はある程度補完関係にあることがわかります（図6.3-18参照）。

（ⅳ）大規模な蓄電池などのエネルギー貯蔵容量が必要

　上巻・第Ⅳ章7項で見たように太陽光・風力のような自然変動電源をある程度以上、電力系統に投入する場合には、エネルギー貯蔵の仕組みが必要になります。特に太陽光は発電時間帯が偏っているため、その発電量の割合が大きくなると、それだけ必要な蓄電池などの容量が増えてきます。

　注意しなければいけないのは、**蓄電池や水素などへのエネルギー変換・貯蔵ではそれ自身はエネルギーを生み出さず**、むしろエネルギー変換時に損失を伴うことです。個々の自然エネルギー源だけではなくて他の電源とのバランスも考慮しないと、エネルギー貯蔵システム導入やエネルギー変換損失などで経済性が犠牲になることもあります。

　最初は揚水発電が電力の需給調整機能を果たしますが、自然変動電源の大量導入を前提とすると、さらに蓄電池のようなエネルギー貯蔵設備が求められます。これによって、太陽光発電で昼に発電した電力を貯めて、夕方～早朝の消費を賄うという数時間分の電力シフトが可能となります。

　電気自動車などの普及もあって、ここのところ蓄電池のコストは下がりつつありますが、需給調整をこなすだけの容量を導入するには莫大な投資が必要となり、現実的ではありません。そこで注目されているのが、電気自動車EVの蓄電池を束ねて、電力の需給バランスに組み込むというVPPの取り組みです（上巻・第Ⅳ章8項参照）。

　表8.1-1の東京電力の推算においては、電力系統の運用者が
EVの蓄電池を自在に活用できるという条件下で、太陽光など
で発電した電力を無駄に捨てること（出力抑制）はなくなると
しています。上巻・第Ⅳ章８項で行った見積もりでは、2050年
時点でのEVの普及を想定すると、実際に電力の需給調整に使
えそうな蓄電池容量は電力消費量の約10%でした。この時、上
巻・図4.7-1からも揚水発電にEV蓄電池を組み合わせると、か
なり高い需給調整能力となり、１日分の需給平準化には力を発
揮できそうだということがわかります。

　上巻・第Ⅳ章５項のように、現在の電源構成ではEVがCO_2
排出削減に有効とは言えませんが、電源の低炭素化が進んだ近
い将来には脱炭素化の有力な手段となります。2050年までに
EVの普及速度が上記の想定に追いついているかは不透明です
が、脱炭素社会ではいずれ化石燃料を使った内燃エンジン車は
なくならざるを得ません。また、各種の調査データによって、
車が実際に走行しているのは１日のうちの５％（1.3時間/日）
程度に過ぎないことが示されています。電源インフラやネット
ワーク環境が整備されていれば、駐車している時には電力系統
につながって、電力の需給調整に活用されている状況は、現実
的な将来像です。

　この時、**EVには電力需給の調整機能（kW＋ΔkW）という
新しい商品価値が付加**されることになります。車を移動手段と
してだけでなくて、「エネルギー・サービス」の一環としても

考えることができます。このように、車の保有から利用へと視点を移すと、「（電力＋EV）・アグリゲータ」のような新しいビジネスが参入して、シェアリング・ビジネスの可能性が広がってくることが予想されます。

　自然エネルギー社会ではEVを介して、交通システムとエネルギー・システムが密接に関わってくることになりそうです。

（ⅴ）エネルギー需要を減らすことが自然エネルギー社会実現の鍵

　上記の自然エネルギーのほかにも、海洋エネルギー関係で、波力、潮流、潮汐力などの新規エネルギーの研究開発が行われていますが、まだ量的な見通しを語るのは時期尚早です。

　以上の自然エネルギーの発電量を足し合わせると、電力需要全体の70～80％となります。表8.1-1の東京電力の最大電力化のケースでは、自然エネルギーのみでCO_2削減率80％を達成する答えはなくて、最大72％に留まっています。電力中央研究所のケースではCO_2除去のために高コストのCCSを併用して、削減率80％に到達しています。WWFジャパンのケースでは削減率100％となっていますが、太陽光および風力発電量は業界団体の目標値をかなり超えていて、実現に困難が伴います。

　すなわち、2050年時点で自然エネルギー由来の電力（またはエネルギー）供給量が現在の電力需要の80％を超えることは、技術的かつ経済的にかなり難しそうだということです。逆に言

うと、**電力使用量を現在の80％程度に抑えないと、CO₂排出ゼロの自然エネルギー社会の実現は難しいことになります。**

　よく自然エネルギーは「膨大で尽きることがない」と形容されることがあります。これは事実の一面ではありますが、「いくらでも使える」との間違ったメッセージを一般の人たちに送る恐れもあります。残念ながら、各種の自然エネルギーを合わせただけでは、まだ我が国の現在〜近い将来のエネルギー需要を満たすだけの十分なパワーがありません。国土面積が限られ（人口密度が高い）かつ利用可能な平地面積の割合も少ないという地理的な制約があって、CO₂排出ゼロへのアプローチも米国などとは違ってきます。

　このように、エネルギー密度の低いことによる制約が大きい自然エネルギーですが、一方ではそのほとんどが利用価値（エネルギーの品質）の高い電気エネルギーとして導入されるという特長があります（上巻・第Ⅳ章1項参照）。化石燃料のように、電力や動力へのエネルギー変換損失をあまり考慮する必要がなくなります。

　とにかく省エネや節電をはじめとして、できる限りの対策を総動員することで、エネルギー需要量を現在の電力需要量の80％のレベルに抑えることが必要条件になります。

　この80％の持つ意味合いを以下で概略考えてみます。

上巻・図3.4-3のように、現在の最終のエネルギー消費の内訳は、電力が23％（約1兆kWh）、燃料消費（うちほとんどが化石燃料）が77％となっています。この燃料消費相当分を電力に変換したとすると、変換効率40％として、全体のエネルギー量に占める割合は57％に低減します（図8.1-1）。逆に、もともとの電力の割合が43％に上昇して、そのうちの33％（8,000億kWh）相当を自然エネルギーから供給することができます。したがって、自然エネルギー電力だけで、全体のエネルギー需要を賄うためには、**エネルギー消費効率を3倍（エネルギー消費量を1/3）にすることが必要**になります。

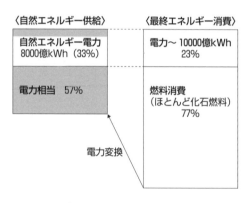

図8.1-1　自然エネルギー100％は可能か？

（注）網掛け部分は化石燃料由来。

　以上は、電力という二次エネルギー換算でエネルギー需給を調べた結果です。実際には、航空機燃料を100％バイオジェット燃料にすることは困難ですし、一部の材料製造で必要な超高

温状態を作り出すために化石燃料の使用も残るでしょうが、それらを最小限に抑えて、排出されるCO_2は何とか森林吸収などの自然環境の力でバランスさせるものと考えます。

　以上の結果は、かねてより小宮山宏氏他が「ビジョン2050」[6]として提唱している、「エネルギー効率を3倍にする」などと奇しくも一致します。「ビジョン2050」では一次エネルギーを対象として議論を進めているのですが、主なエネルギー消費項目を精査して**削減量を積み上げる（含む電化）**とともに、**資源循環型に産業を構造転換**することなどで、**エネルギー効率3倍が実現できる**と結論づけています。例えば、産業界においては上巻・第Ⅲ章9項のように素材製造プロセス改善への取り組みが行われていますが、やがてはグローバルな産業の比較優位の観点から、我が国の産業構造も国情に見合ったエネルギー低消費型へと移行が進んでいく（いかざるを得ない）ものと思われます。

　ここでの結論は、**省エネ・節電活動と電力の有効利用、さらには産業構造の転換によりエネルギー消費量を大幅に抑えることが自然エネルギー社会実現のために必須**ということです。
　これは上記著書にもあるように、我慢して私たちの生活の質を落とすことではなく、むしろ知恵と技術力を駆使して、自然環境と調和した豊かな自然エネルギー社会を築き上げることを促しています。

　2050年に向けて新技術の登場やイノベーションへの期待もあ

りますが、上記の結論が2050年の国家目標を達成するための最も確実で、経済的な近道であることは変わらないでしょう。

③将来の電力需要見通しに対する不確定要素

2050年の電力需要量をどの程度に収められるかが、CO_2排出量を80%削減する、あるいはゼロにするという目標を達成できるかどうかの鍵を握っているとのことでした。しかし、これから大きく増加する別の要素はないのかということも考えておく必要があります。

将来の電力需要量は経済成長率、省エネ活動の進み具合、EVに代表される化石燃料から電気への転換量などが複合して変化すると考えられます。幸いなことに、我が国の電力需要量は2010年にピークを打って、ここ数年はわずかながら減少傾向にあります。上記の3つの算定ケースにおいても、エネルギー効率の向上などによって2050年までに大幅な電力需要の増加はないとの前提で結果が導かれています。

ここでは、将来のエネルギー需要、あるいは電力需要に影響を及ぼしそうな2つの項目を取り上げます。

（ⅰ）運輸・交通システムのエネルギー需要

自動車電動化の効果については上巻・第Ⅳ章5項で検討した通り、電力消費量は増加しますが、エネルギー効率の向上によって総エネルギー消費の削減に貢献します。特に市街地などの交通渋滞地域では、大気汚染対策と合わせて大きな効果を発揮

します（注）。それでも、渋滞が常態化する都市部の交通システムはエネルギーの効率的使用という面からも問題を抱えています。

（注）最近のコロナ禍がもたらした重苦しい雰囲気とは対照的に、世界の大都市に澄んだ青空が復活しています。

　元来、車両走行時のエネルギー効率は低くて、さらにエネルギー消費を低減する余地が十分にあると言われています。その一例が、トラックなどによる貨物輸送です。貨物トラックなど車両での輸送を鉄道あるいは船舶に切り換えることによって、CO_2排出を大幅に減らすことができます（図8.1-2）。これは物流のモーダル・シフトとも呼ばれ、ここのところ鉄道での貨物輸送は少しずつ回復していますが、ラスト・ワンマイルと呼ばれる最終の物流拠点から消費者までの配送に手間がかかり、まだ目立った改善には至っていません。

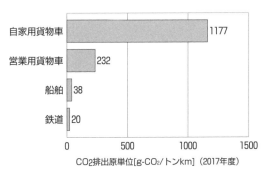

CO2排出原単位[g-CO₂/トンkm]（2017年度）

（注）温室効果ガスインベントリオフィス：「日本の温室効果ガス排出量データ」、国土交通省：
　　「自動車輸送統計」、「内航船舶輸送統計」、「鉄道輸送統計」より

図8.1-2　輸送量当たりのCO₂排出量（貨物）[7]

特に、最近のコロナ禍によって押し上げられるネット・ショッピングと宅配の需要増加は貨物などの輸送システムに少なからぬ影響をもたらしています。その対応策としても注目されているのが電動ロボットやドローンによる貨物配送や旅客用エアタクシーで、現在研究開発や実用化に向けての試行段階にあります。これらが2050年頃にどの程度普及し、活用されているかによって運輸部門のエネルギーや電力需要が大きく変わってくる可能性があります（注）。まずこれらの新システムが、現在の貨物トラックや乗用車に対して、どの程度エネルギー効率において優位性があるのかを定量的に把握することが手始めです。そして、ネット通販用宅配ロボット、さらには車から空までのライドシェアなどで増加すると予想される旅客需要を、既存の輸送系とうまくインテグレーションして、エネルギー効率化の面から最適化するような地上と空の都市交通システムを構想することが必要となってきます。

（注）現在構想されているエアタクシーやドローンはほとんど電動航空機です。

（ii）IT機器の電力消費の飛躍的拡大
　最近はAI/IoT技術が進歩・普及して、ビッグデータの処理に多量の計算機パワーが消費されるようになっています。これに拍車をかけるように、コロナ禍によるテレワーク、オンライン教育などへの移行はデータ通信のニーズを急速に拡大しています。さらに、歩調を合わせて5G（～6G）と言われる通信速度の向上が進みつつあります。

　図8.1-3は2050年に至るデータ通信量の急激な増加とその処理などに使われるIT機器の消費電力の予想を示しています。2050年の電力消費量は5,500億kWhにも達していて、このままでは全体の消費電力量が1.5倍に拡大することになります。

　図8.1-3のデータは少し古いのですが、直近でも現状技術の延長線上では、2050年には大幅に電力消費量が増加するとの予測があります[8][9]。

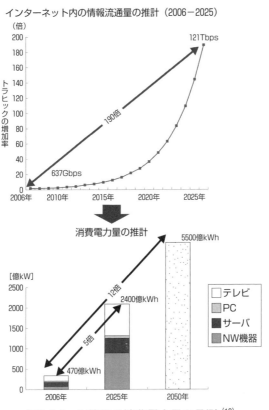

図8.1-3　IT機器の消費電力量の予測[10]

個別の機器で、最も消費電力の大きいのがデータセンターであり、現在世界の電力全体の約４％を消費していると推定されています。さらに2030年にはビッグデータとAIの利用増加で、10％を超えるとの見通しです。この消費電力を減らすために、省電力の高性能プロセッサーや高密度実装回路などの技術開発が進められています。

　また、データセンターを介さずに、端末側での処理に特化したエッジコンピューティングでネットワークへの負荷の軽減、冷却時やUPS（無停電電源装置）での電力損失を抑えるなど周辺システム、ソフトウェアの性能向上にも取り組まれています。これらの技術革新のスピードが実際の電力需要の増加にどこまで追いついていけるかにかかっています。

　最近ニュースでも話題になったように、米国の主要なIT企業のグーグルなどは量子コンピュータの開発に力を入れており、アップル、グーグル、フェイスブックは自前の自然エネルギー電源を保有して、データセンターに直接電力を供給しています。さらにITビジネスの生命線として電源の確保に突き進んでいて、グーグルは自社で小型原子炉（出力10 MW規模のマイクロリアクター）の開発に取り組んでいるとの情報もあります[(11)]。
　これからのIT機器などの電力需要の増加とその対策は、個々のビジネスだけではなくて、いずれ社会全体として考えてゆかなければならない問題と考えられます。

　本書冒頭のクイズを思い返して頂くと、私たち日本人は1人当たり平均で毎年約10トンのCO_2を排出しているとありました。このほとんどが私たち自身ではなくて、間接的に排出されているのですが、ドライアイスにすると10トントラックの荷台に一杯積み込まれた量に相当します。私たちはこの現実から出発することになります。そうすると第Ⅶ章8項のCCSのように、たとえその何分の1であれ、深い地中に埋め込むのがどれだけ困難であるかが理解できると思います。

　できるだけ早期にGHG排出ゼロを実現すること、その必要条件としてエネルギー消費量を抑えるためにあらゆる知恵と行動を総動員することが求められています。

【クイズ⑪】
　私たちの日常生活で、CO_2排出削減につながる改善項目にはどのようなものがあるでしょうか？　その項目のCO_2排出削減量を推定するとどうなるでしょうか？

2. 自然エネルギー社会に向けて求められる発想の転換

　2020年初より世界を襲った新型コロナウィルスによるパンデミック、それに引き続く我が国での記録的な集中豪雨災害は、改めて私たちの生活に欠かせないもの、本当に守らなければならないものが何かを気づかせてくれたように思います。コロナ禍により、一時は国境封鎖が間近に迫り、水・食糧・エネルギーなどのライフラインの確保、医療・介護などの社会を支える基盤的サービスがどれほど大事かなど、を身にしみて感じることになりました。

　本書のテーマに関係するものでは、我が国の食糧（カロリーベース）と木材の自給率が約1/3と低迷していて、エネルギーに至っては約1/10という有様です。地球環境を守ってゆくために、何とか化石燃料への依存から脱して、自然エネルギー中心の社会へと速やかに移行しようという主旨は変わらないのですが、それは単に自然エネルギーに置き換えれば済む（それだけでもとても大変な課題ですが）という話ではなくて、これらの問題を総合的に考えるという貴重な機会を与えてくれています。

　自然エネルギーと言っても、結局は太陽が私たちの生活する環境（国土）に与えてくれた恵みであり、この限られた自然資源を、どのようにうまく活用するかが問われています。つまり、狭い国土をエネルギー利用としてだけではなくて、食糧生産や環境保全など、私たちの生活や経済活動を含めて持続可能な土地利用のあり方を考えてゆかなければいけないということです。

これこそ正真正銘の「自然との共生」と言えますが、私たち日本人は歴史的に自然との関わりを大事にする文化を育んできたことをもう一度思い返す必要があるように思います。

①化石燃料と経済成長

　少しエネルギーという視点に立って、今世紀に入っての我が国の動きを辿ってみます。

　永い地球の歴史で、人類が石油などの化石燃料と巡り会ったのが戦後の目覚ましい発展（人口の増加、経済成長など）を支えたと言っても過言ではないでしょう。エネルギー源としての化石燃料は、戦後の大量生産・消費（それによる大量廃棄も）を通じて高度成長を支える原動力となってきました。その恩恵を世界で最も享受してきた国の一つが我が国で、一時は世界が目を見張るような経済的発展をもたらしました。ほとんど地球の裏側から運ばれてくる石油などが物質的に豊かになった私たちの日常生活を支えています。

　筆者のような戦後世代は学校教育などで、「我が国は地下資源が乏しいので、外国から資源を輸入して、加工した製品を輸出して稼がなければならない」と繰り返し教えられてきたのが脳裏に染みついているようです。そのために、エネルギー資源の確保が最重要課題で、石油資源を求めて南方に進出したのが大戦の引金になったとも言われます。戦後も現在に至るまで、エネルギーの安定的な確保に政財界が一致して奔走してきたのが成長を支えたとの意識が強くあります。

労働力は農林漁業などの一次産業から大量生産を主体とする（エネルギー多消費型の）製造業へと重点投入して、人的エネルギーを大都市周辺に集めてもの作りに邁進した結果が我が国の高度成長をもたらしました。やがて、第一次石油危機で起こった困難をバネにして、省エネと生産性の改善で世界に冠たる経済大国へと発展します。しかし、原油などのエネルギー資源の希少性が世界的に意識されるようになると、引き続く第二次石油危機以降も高騰する原油価格の環境の中で、やがてバブル崩壊に至ります。それ以降"失われた20〜30年"が続くことになり、近年は生産拠点もグローバル化の波に乗って、製造の国際的な水平分業、消費地での現地生産への移行が見られます。

　一方では、産業構造の傾斜配置は人口の都市集中を招いて、土地神話に基づくバブル経済の端緒となりました。経済も都市に集中した人口を対象にしたサービス化が志向されて、さらなる人口の大都市集中を招き、地方では少子高齢化や過疎化が目立つようになってきています。その隙を突いたように、新型コロナウイルスが侵入して、経済・社会を大きく揺さぶっています。

　このように、現在までエネルギー多消費型の産業構造の脆弱性はほとんど残ったままで、毎年GDPの２〜５％余りの化石燃料費を海外に支払い [12]、大きなエネルギー価格変動の波に洗われることも何度かありました。今この"エネルギーの呪縛"から解き放たれ、国外に流出している巨額のエネルギー費用を

削減できるまたとないチャンスが到来しているとも言えます。

②我が国は脱化石燃料に有利な環境

上巻・第Ⅱ章6項で説明したように、今後の気温上昇を2℃以内に抑えるためには、現在の化石燃料埋蔵量の過半は「坐礁資産」として、今後手を付けることはできません。これからのCO$_2$排出削減活動が成功するか否かは、化石燃料を掘り出そうという誘惑に人類がどれだけあがなうことができるかにかかっています。これは資源保有国にとっては、とても難しい判断になります。

上巻・第Ⅳ章4項ではドイツの例を取り上げました。ドイツはCO$_2$排出のかなりの部分は石炭火力発電から生じていて、最近までCO$_2$排出削減が思うように進んでいませんでした。しかし、国民の強い後押しもあって、最近政府が石炭火力からの離脱に方向転換しました。ドイツは世界有数の石炭資源保有国であり、国内の石炭産業従事者の雇用、さらには目の前にある石炭資源を封印して、政策転換を図った英断です。もちろん、これを支える大多数の国民の声があってこその結果です。

このほかにも、石炭資源などが豊富にあってエネルギー消費の多い、米国、中国、インド、豪州、ロシアなど主要国の動向が世界の温暖化対策の成否の鍵を握っています。

幸いなことに、化石燃料資源に乏しい我が国は、このような誘惑に駆られることはないはずです。**脱化石燃料を実現するには、欧米諸国などよりはむしろ有利な環境にあると考えること**

ができます。

　振り返って、我が国では、最近旧式の非効率な石炭火力発電所を閉鎖する動きがある一方で、コストの安いベースロード電源として新設の石炭火力発電所の運転開始や計画が相次いでいます。石炭火力発電所の新設は他の主要先進国には見られず、世界の環境保護団体などから強い批判の声が上がっています。

　このCO$_2$排出量の多い石炭火力発電所新設の問題には、少し先を見通して次のような二つの気掛かりな点があります。

　まず、上記のように、これから国際協調してCO$_2$排出削減に取り組まなければならない中で、化石燃料資源を持たない我が国の立ち位置が問われます。すなわち、本来ならば、資源保有国が化石燃料を使用するのを思いとどまらせるのが、我が国に期待される役割であって、安くて、安定的に調達できるという自国の都合だけで、その利用を進めることが、いずれ難しくなるのではということです。これから温暖化対策の国際交渉が進展してゆく（と期待する）と、ますます我が国の立場を明確にすることが求められるように思います。

　次に、上巻・第Ⅴ章２項で述べたように、新規の発電設備の建設には、長期にわたる安定した運転により初期投資費用を回収することが前提条件となり、経営者に投資するための慎重なリスク判断が求められます。石炭火力発電については、現在既に世界各国や国連などから強い批判が巻き起こっている中で、どのようにリスク回避をしようとしているのかがほとんど伝わ

ってきません。これから、さらに温暖化の厳しい現実が顕在化すると予想される中で、誰が（企業、消費者、政府など）これから生じるであろうリスクを受け止めることになるのかが明らかでないようです。

③自然エネルギー社会は地方が都市を支える

　上巻・第Ⅳ章７項で見たように自然エネルギー社会ではエネルギーの流れは地方から都市へと向かいます。地方がエネルギー供給で都市を支える時代がやってきます。最近あまり聞かれなくなった「地方創生」というテーマに結びつきますが、自然エネルギーの普及拡大は地方にとっても、またとない活性化の機会となります。逆に言うと、エネルギーの自給はもちろん、都市への供給というとても重い責任を担うことになります。各地方で少子高齢化が目立ってくる中で、本当にそのようなことができるのかという不安も出てくるでしょう。

　FIT制度の開始以降、都市の資本が地方で大規模太陽光発電所を建設して、利益があまり地方に還元されないばかりでなく、住民の生活環境に影響を及ぼす例も見られるようです（上巻・第Ⅴ章２項）。一方、地方では再エネへの投資のための資本が不足しているだけでなくて、事業を企画する人材も少なくなっています。

　太陽光発電などの、自然エネルギーによる発電は維持管理のポイントを押さえることができればつきっきりで見ている必要はなくて、天候などを見ながら必要な時に、巡回することで対

応できます。住宅の屋根や裏庭に設けた太陽光パネルで発電するように、地元の住民が運営するのに適しています。やり方を工夫すれば、農林漁業のような一次産業とも親和性が高くて、典型的な地場産業と言えます。地域の自然との付き合い方は、地域の住民、特に自然を生業とする農林漁業者が最も心得ているところです。

　最近、小宮山宏氏が将来目指すべき社会の姿として、「自律・分散・協調」というキーワードを挙げています [13]。エネルギー問題で言うと、「分散」は地方にある各種の自然エネルギー源、「自律」は地域のコミュニティや自治体が自らの意思でエネルギーを産み出し、コントロールすることができるようになること、そして「協調」は都市と地方がうまく連携して、エネルギーを計画的に融通し合うと解釈することができます。IT技術を活用すれば、都市の人材も地方と手を組んで活動することも比較的容易で、新たな人材交流やネットワークができることも期待されます（注）。

（注）最近横浜市などの自治体が自然エネルギー利用で地方との連携に
　　積極的に取り組んでいます。

　これから自然エネルギーの導入を増やしてゆくために、地方自治体や地域コミュニティが積極的に関わって（コミットして）、上記のように地域の食糧生産や木材資源などとの関係を含めて、持続可能な土地利用のあり方はどうあるべきか（ゾーニング）を見直すべきと思われます。もちろん、そこに至るま

でに限られた土地での住民の生活にエネルギー利用が溶け込んでゆくためにも、住民の理解と合意形成のプロセスが本質的に重要です。そして、地域に与えられた自然エネルギー資源を最大限に活用して、上巻・第Ⅴ章４項の例のように、ゆくゆくは地域社会の問題解決を図るという、地方自治体の本来の目的を実現することが期待されます。

④エネルギー多消費産業からの構造転換

　前項で確認したように、日本の国土に与えられた自然エネルギー量には制約があります。洋上風力発電のように、海上へと範囲を拡大する可能性はありますが、それでも需要量に対して、それほど余裕があるわけではありません。したがって、自然エネルギー社会の実現には、省エネや脱化石燃料という私たちの日常生活での行動とともに、もう一つの柱として、産業構造を資源循環型に転換して、省エネ・循環型の社会システム（サーキュラー・エコノミー）を目指すことが重要となります。

　2020年の現在はコロナ禍への対応に追われる日々が続きますが、2050年に向けては「持続可能な社会」を目指すという世界の要請が、ますます高まることは間違いないものと思われます。このような流れの中で、上巻・第Ⅲ章９項では車の例を取り上げましたが、製品やサービスを選ぶ顧客の考え方が大きく変わってくることが予想されます。産業全体として素材製造から製品・サービスの提供、回収・再利用に至るライフサイクルについて、地球温暖化という社会的課題にどのように対応していくかが問われるようになります。

そのため、製品のライフサイクル全体を考えて、製造時に使用する資源節約に取り組むことや製品の開発段階から再利用を考慮して、回収のしやすい仕組みを作り込んでおくことが望まれます。また、回収に際しては、品質・価値の低下が最小限となるような選別〜再販売のサプライチェーンなど、それに見合った社会システムを考えておくべきでしょう。そして、これらの資源循環型の製品・サービスを選択する私たち消費者の行動がシステム改革の推進役となります。

上巻・第Ⅲ章9項では、我が国の素材産業のCO_2排出削減が停滞していると記しましたが、西欧諸国に比べて、脱炭素化に出遅れた産業構造が、現在の経済低迷の一因とも言われています[14]。世界の成長産業は、米国のGAFA（グーグル、アップル、フェイスブック、アマゾン）と言われるデジタル産業、最近話題の中国のファーウェイなどのIT関連企業、新型コロナ・ワクチン開発で凌ぎを削る製薬企業などで、何れも知識集約型で低エネルギー消費型です。一方、我が国を代表するトップ企業は歴史的なもの作り産業が中心となっています。

現実には従来のビジネスの延長線上の議論では、なかなか大きな方向転換は難しいものと思われます。しかしながら、大きな社会の転換点に差し掛かっている今、これまでの考え方に囚われない、全く新しい発想が求められています。

これ以上の議論は本書の範囲を越えますが、持続可能な社会へと転換しようとしている世界の大きな変化を捉えて、これか

ら我が国産業がどのように存在価値を高めていくかの一つの道標のように思われます。

⑤エネルギー転換と私たちの生活

　現在、私たちは化石燃料から自然エネルギー利用へと社会の大きな転換点に差し掛かっています。これから脱炭素化が経済活動や生活のあらゆる側面での転換を求めることになり、私たちも社会の一員として、各個人としてどのように対応して行くかが問われます。そのため、この問題の本質をよく考えて、事前の準備を含めて、できるだけ問題に先行的に取り組むことが、長い目で見て力を発揮することになると思われます。

　目を世界に転じると、既に120を超える国と地域が2050年にGHG排出ゼロを宣言していると言われています。最近は、世界の半分近くのCO_2を排出する米中2大国も、それぞれ2050年、2060年のGHG排出ゼロへと舵を切りました。我が国も何とか乗り遅れずに動き出しましたが、まだその具体的な道程は明らかではありません。

　例えば、米国では巨大資本が西部の砂漠地帯にメガソーラー、ウィンドファームなどを建設することも可能ですし、中国では強大な権力を使って政府主導で再エネ設備を計画的に導入することもできるでしょう。しかし、これらの国とは事情の異なる我が国では、国土面積などの制約もあり、真に私たちの生活に自然エネルギー利用が溶け込んでゆく必要があります。そのために、どうしても国民一人一人の理解が欠かせなくなります。

2050年は30年後で遠いようですが、ちょうど一世代後の私たちの子供、孫の世代です。あるいは現在の学生や若者が社会の中核を担う年代に差し掛かっています。

　2050年時点で、我が国が世界の流れに遅れてついていけない"ガラパゴス列島"にならないためにも、私たちの生活基盤であるエネルギーをどのように利用すべきかを全く新しい視点で考えることが必要になっています。

Ⅸ. 結びに

　本書のタイトル「自然エネルギー社会」には、一市民として日々身の回りや山野の自然に触れて、季節とともに移り変わる調和の取れた美しさや壮大な営みによって多くの恵みと感動を受けてきたことへの感謝と畏敬の気持ちを込めています。

　地球温暖化問題への対応が遅々として進まない現状を案じながらも、本書のタイトル「エンジニア」に込めた想いを綴って、締めくくりとします。

・全体を掴む

　かつての恩師が「ものを創るエンジニアリングの世界では、全体の姿形をイメージすることがとても大切だ」と話されて、旅行には必ずスケッチブックを携行されていました。複雑なシステムや設計になるほど、全体のバランスを見失うことのないようにとの教えだったように思います。

　地球温暖化問題は、多分野に跨がる技術に留まらず、経済や社会、国際政治にまで拡がる真に地球規模の極めて難しい問題です。筆者のような専門外の人間でも、何とか問題の全体像を鳥瞰図的に掴むことができないのかと思い立って、チャレンジを始めました。これによって、今私たちがどこにいて、どちらの方向に進めばいいかのヒントが少しでも得られればと考えたからです。したがって、個々の描写ではまだまだ肌理が粗くて、

検討が不十分な箇所が多いことと思います。読者のご指摘・ご叱正を賜るとともに、初学者のデッサンとして、何らかの議論のたたき台にして頂ければ望外の幸いです。

・データに基づいて、定量的に

　企業において新しい事業を企画し、新商品の開発を手がける時の手始めは、関連する情報の収集とその分析になります。最近はインターネットにより、この調査作業も楽にはなってきましたが、それでも取り上げる情報の質が経営判断に大きな影響を与えます。

　本書は特定分野の研究を意図したものではありませんので、新しい事実や発見が含まれているわけではありません。公開された情報やデータに基づいて、できるだけ正確な事実を伝えることに気を配りました。しかし、情報を整理する中で、今まで意識することのなかった、あるいは思いがけない事実が現れてくることもありました。

　私たちがエネルギーや電力の問題になかなか馴染みにくい原因の一つは、ややこしい単位や数字の桁数の多さではないでしょうか。そのため、単位はkW、kWhに絞って、できるだけ定量的に数値で表して、その根拠も文中で記述するように心がけたつもりです。これらの数値は事実を定量的に掴むためにはどうしても避けて通ることはできないので、ここは少し我慢して慣れるしかないのかと思っています。

・早く行動を起こす

　各種製品やサービスの開発すべてに当てはまることですが、開発のタイミングとスピードが事業の成否を分ける鍵となります。

　これは現在、私たちが直面している地球温暖化問題への対応にも当てはまり、現在の努力が将来の何倍にも相当する価値を生み出します。環境汚染問題を考えるとわかりますが、汚染物質を垂れ流すのは一瞬であっても、それを回収するのがいかに大変であるかです。

　本問題の性質から、現在対策を打たないことによって、将来その何倍もの労力を費やさなければならないことになります。理論が完璧になるまで待つ、あるいは新しい解決策が出てくることを期待するだけでは問題の改善につながらないことを肝に銘じる必要があります。

謝辞

　本書は、大滝英成氏、泉耕二氏との足かけ5年間の、電子メールでの意見交換の資料を整理したものです。少しずつでも書き貯めてゆくとかなりのボリュームとなり、冗長な感は否めないかと思いますが、ご容赦頂ければ幸いです。その間、両氏には各種の貴重な助言を頂き、その後押しがなければここまで辿り着くことはなかったものと感謝しています。

　桝本憲司氏には林業関連でいろいろな現場の生きた知識を授けて頂き、また天野完一氏からは折に触れて書籍出版への激励を頂戴しました。文芸社編集部の吉澤茂氏には原稿を丁寧に読み返して頂いて、何とか完成に至りました。改めて、感謝申し上げます。

葛原　正

下巻【文献】

第3部【実践編】

第Ⅵ章

1．『川の百科事典』（高橋裕編）
2．U.S. Geological Survey ホームページ
3．『小水力エネルギー読本』（小水力利用推進協議会）
4．『小水力発電がわかる本』（小水力利用推進協議会）
5．「水力発電の開発・利用促進に関する提言」（平成25年3月、一般財団法人・新エネルギー財団）
6．『NEDO再生可能エネルギー技術白書』
7．経済産業省資源エネルギー庁ホームページ
8．「再生可能エネルギー・エッセンシャルズ：水力発電」（IEA、2010）
9．https://www.meti.go.jp/shingikai/santeii/pdf/001_07_02.pdf
10．「長期エネルギー需給見通し関連資料」（平成27年7月、資源エネルギー庁）
11．『水力発電が日本を救う』（竹村公太郎）
12．太陽光発電協会ホームページ
13．産業技術総合研究所ホームページ
14．「劣化・故障診断機能を搭載した太陽光発電設備用遠隔監視システムの開発」（西戸雄輝、井上泰宏、小林浩）、トーエネック・TDレポート、Vol.30
15．「日射に関するデータベース」（新エネルギー・産業技術総合開発機構）など
16．Photovoltaics Report（2020）、Fraunhofer Institute for Solar Energy Systems, ISE
17．「平成26年度2050年再生可能エネルギー等分散型エネルギー普及可能性検証検討委託業務報告書」（環境省）
18．「再生可能エネルギーに関する海外コスト調査分析事業」（日本エネ

ルギー経済研究所）

19. 「国内外の再生可能エネルギーの現状と今年度の調達価格等算定委員会の論点案」（資源エネルギー庁、2018年10月）

20. 「グリッドパリティ」（自然エネルギー財団）

21. "Trend 2013 in Photovoltaic Applications", IEA 2013b

22. 『風はなぜ吹くのか、どこからやってくるのか』（杉本憲彦）

23. 『気候変動の事典』（山川修治・常盤勝美・渡来靖編）

24. 「気候変動　瀬戸際の地球」（ナショナル・ジオグラフィック別冊８）

25. 『トコトンやさしい風力発電の本』（牛山泉）

26. http://wwwoa.ees.hokudai.ac.jp/research/pbl.html

27. 「風況マップ」（環境省）

28. 「平成25年度再生可能エネルギー導入拡大に向けた系統整備等調査事業報告書」（環境省）

29. http://www.enecho.meti.go.jp/about/whitepaper/2010html/1-2-3.html

30. "Offshore Wind Outlook 2019", IEA

31. 「日本の風力発電コストに関する研究」（自然エネルギー財団）

32. 「世界の風力発電の動向」（鈴木章弘）

33. 「風力発電の動向—欧州は洋上風力発電へ」（上田悦紀、日本マリンエンジニアリング学会誌、第51巻・第１号）

34. 「欧州洋上風力発電事業入札価格の動向・背景とそこから日本が学べること」（ヤマダ・マサト・MHIヴェスタス、2017年６月14日）

35. 「世界の風力発電動向と日本における課題」（大西英行、GE Renewable Energy、2017年６月14日）

36. 「自然エネルギーの発電コスト2017年」（IRENA）

37. 『送電線は行列の出来るガラガラのそば屋さん？』（安田陽）

38. http://www.enecho.meti.go.jp/about/special/johoteikyo/akiyouryou.html

39. 「脱炭素社会に向けたエネルギーシナリオ提案」（槌屋治紀、2011年７月22日）

40. 『乱流』（佐藤浩）

41. www.asiabiomass.jp/topics/1209_03.html（※現在はページに接続できません）

42. 『文明崩壊』（ジャレド・ダイアモンド）

43. 『森林・林業白書　平成27年版』（林野庁編）

44. 『小規模木質バイオマス発電をお考えの方へ：導入ガイドブック』（一般社団法人　日本木質バイオマスエネルギー協会）

45. 『環境エネルギー』（化学工学会編）

46. "Basisdaten 2015, Boienergie"（オーストリアバイオマス協会）

47. 王子木材緑化株式会社ホームページ

48. 「わが国林業、木材産業の今後の可能性」（株式会社・日本政策投資銀行）

49. https://www.shinrin-ringyou.com/forest_japan/menseki_tikuseki.php

50. 林野庁ホームページ

51. 『アジアにおける森林の消失と保全』（井上真編）

52. 『熱帯雨林コネクション』（ルーカス・シュトラウマン）

53. 「木材需要の関連因子の動向等について」（林野庁，平成27年9月）

54. 「日本国温室効果ガスインベントリ報告書2016」（地球環境研究センター）

55. 第32回調達価格等算定委員会資料「一般木材等バイオマス発電について」（資源エネルギー庁、2017年11月）

56. 一般社団法人日本木質バイオマスエネルギー協会資料

57. 第22回調達価格等算定委員会配布資料（資源エネルギー庁/林野庁、2016年2月22日）

58. イーレックス株式会社ホームページ

59. https://www.egmkt.co.jp/company/biomass/

60. 『平成13年度　森林・林業白書』（林野庁）

61. 『熱電併給システムではじめる木質バイオマスエネルギー発電』（熊崎実）

62. 「竹の利活用推進に向けて」（林野庁）

63. 「竹林拡大の現状と竹林の管理」（千葉県農林総合研究センター森林

研究所・福島成樹　竹林シンポジウムin千葉)

64.『森林はモリやハヤシではない』(四手井綱英)

第Ⅶ章

1.『トコトンやさしい発電・送電の本』(福田遵)

2.「直流送電技術の動向」(長田雅史、電気評論、2017年8月)

3.「SiC・GaNパワー半導体の最新技術・課題ならびにデバイス評価技術の重要性」(筑波大学・岩室憲幸、2016.7.12)

4.『エネルギーの人類史』(バーツラフ・シュミル)

5.「多端子直流送電システムの経済性と便益性の評価手法の開発」(住友電気工業・真山修二、電気学会誌、2017年137巻11号)

6. NTTファシリティーズ・ニュースリリース (2016.8.26)

7. SAKURA internet ホームページ

8. 'Status, Concept and Way Forward for Nordic Electricity System', Bo Normark；自然エネルギー財団・国際ワークショップ「国際送電線の現状と今後の展望—アジアスーパーグリッド構想を受けて」(2016年9月8日) より

9.『持続可能なエネルギー』(デービッド・J.C.マッケイ)

10. 'Features of Power System and Issues on International Connection in Japan', 横山隆一；自然エネルギー財団・国際ワークショップ「国際送電線の現状と今後の展望—アジアスーパーグリッド構想を受けて」(2016年9月8日) より

11.「アジア国際送電網研究会第1〜3次報告書」(自然エネルギー財団など)

12.「透過型Cu₂OとSiを積層して高効率・低コスト化に対応したタンデム型太陽電池」(山本和重、芝崎聡一郎、中川直之、東芝レビュー、74巻1号)

13. 新エネルギー・産業技術総合開発機構 (NEDO)・ニュースリリース (2018年6月18日)

14.「電力系統における蓄電池システム技術」(石亀篤司、OHM、2018年2月)

15. "Electric Car Price Tag Shrinks along with Battery Cost", Bloomberg NEF, 2019

16. 株式会社富士経済・調査レポート

17. 日経エレクトロニクス（2017年2月）

18. 「ブロックチェーン技術を活用したシステムの評価軸」経済産業省（平成29年3月29日）

19. 『ブロックチェーンアプリケーション開発の教科書』（加嵩長門、篠原航）

20. 『ブロックチェーンEthereum入門』（NTTデータ先端技術株式会社）

21. 「『ブロックチェーン』が電力取引を変える」（大串卓矢、日経XTECH）

22. NRGcoinホームページ

23. 『ブロックチェーン×エネルギービジネス』（江田健二）

24. みんな電力ホームページ

25. 「日経ものづくり」（2018年9月号）

26. 「ガス拡散電極を用いた人工光合成による二酸化炭素の資源化」（ジア・チンシン、脇一太郎：太陽エネルギー、Vol.44. No.1）

27. 「カーボンリサイクル技術ロードマップ」（経済産業省、令和元年6月）

28. 「水素・燃料電池について」（経済産業省、平成25年12月）

29. 株式会社日本CCS調査　ホームページ

30. 『グローバル・グリーン・ニューディール』（ジェレミー・リフキン）

31. 『ブルーカーボン』（堀正和、桑江朝比呂）

32. 『浅海域で貯留されるブルーカーボンのポテンシャル』（桑江朝比呂、環境管理2020年5月号）

33. 「とける永久凍土」（T.シューア、日経サイエンス、2017年4月）

34. 『地球のからくりに挑む』（大河内直彦）

第VIII章

1. 『エネルギー産業の2050年　Utility3.0へのゲームチェンジ』（竹内純子他）

2. 「2050年のCO₂大規模削減を実現するための経済およびエネルギー・

電力需要の定量分析」（電力中央研究所）

3．「脱炭素社会に向けた長期シナリオ2017」WWFジャパン委託（株式会社システム技術研究所）

4．「JPEAビジョン・PV OUTLOOK 2050　太陽光発電の主力電源化への道筋」（一般社団法人太陽光発電協会、2020年5月18日）

5．「太陽光発電と風力発電の分担比の最適化」（槌屋治紀、太陽エネルギー、Vol.41 No.2）

6．『新ビジョン2050』（小宮山宏、山田興一）

7．国土交通省ホームページ

8．「情報化社会の進展がエネルギー消費に与える影響」（Vol.1）（低炭素社会戦略センター、平成31年3月）

9．『グローバル・グリーン・ニューディール』（ジェレミー・リフキン）

10．「グリーンITイニシアティブ会議」資料（経済産業省）

11．「Google、カーボンフリー電源の選択肢として原子力発電を位置づけ」（株式会社三菱総合研究所レポート、2018.11.7）

12．『平成30年版　環境・循環型社会・生物多様性白書』（環境省）

13．「プラチナ社会がけん引するSDGs」（小宮山宏、SDGs未来会議、2020年5月11日）

14．『資本主義の新しい形』（諸富徹）

著者プロフィール

葛原 正（かつらはら ただし）

1953年、和歌山県で生まれる。
航空宇宙工学を専攻し、機械メーカーで各種プロジェクトの研究開発に携わる。
名古屋大学非常勤講師を経て、現在自然エネルギー開発に従事中。

エンジニアの覗いた自然エネルギー社会　下巻

2021年2月15日　初版第1刷発行

著　者　　葛原 正
発行者　　瓜谷 綱延
発行所　　株式会社文芸社
　　　　　〒160-0022　東京都新宿区新宿1－10－1
　　　　　　　　　電話 03-5369-3060（代表）
　　　　　　　　　　　　03-5369-2299（販売）

印刷所　　株式会社フクイン